D0509722

LA RANDONNÉE MODE D'EMPLOI

LA RANDONNÉE
MODE D'EMPLOI

HUGH Mc MANNERS

Un livre Dorling Kindersley

Première édition en Grande-Bretagne
en 1995 par
Dorling Kindersley Limited
9, Henrietta Street, Londres

Dépôt légal mars 1998
Traduction : Jean-Louis Dumont
Agence 3i, et Ariane Bataille
Composition et mise en page :
Valérie Vilpellet
Imprimé à Hong Kong

ISBN 2 9106 3581 3

AVERTISSEMENT
La responsabilité de l'éditeur ne peut être engagée en cas de blessures, de dommages, de pertes ou de poursuites résultant de la bonne ou mauvaise utilisation des informations contenues dans ce livre. Veillez à respecter les réglementations concernant le droit foncier et les espèces protégées, animales ou végétales.

36, rue Fontaine - 75009 Paris
Tél. 01 49 70 15 55

Sommaire

3
En route

4
En pleine nature

5
Face aux dangers

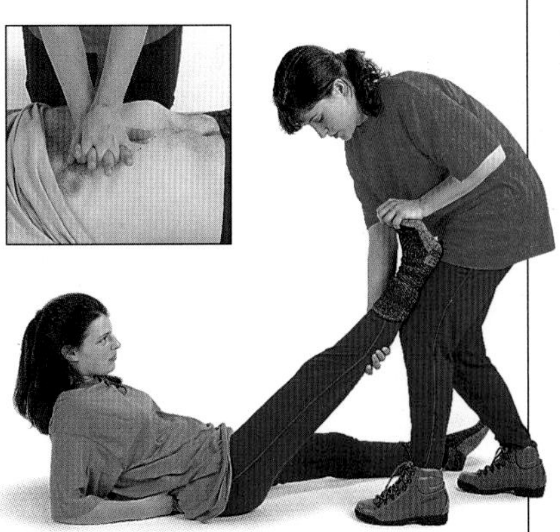

INTRODUCTION

Dans la jungle
Un trekking dans la jungle peut vous entraîner loin de toute route.

L'avantage indiscutable d'un sac à dos bien conçu sur les autres formes de bagages est la liberté de mouvement. Quand vous pouvez transporter confortablement sur votre dos tout ce dont vous avez besoin, vous n'êtes plus dépendant d'une base fixe. Que ce soit pour une randonnée dans un parc naturel, pour gravir une montagne ou voyager autour du monde, de pays en pays, vous êtes autonome et vous pouvez vous lancer sans entrave dans toute aventure qui pourrait se présenter.

Élargir vos horizons

Un équipement réduit à une charge légère met à votre portée de nombreuses activités excitantes. En vous limitant à un sac à dos, vous pouvez entreprendre une randonnée à bicyclette ou une expédition à bord de toutes sortes de bateaux. De plus, la possibilité de transporter, seul, tout votre équipement en cas d'urgence vous permet de sortir des sentiers battus et de les rejoindre sans assistance, si vous rencontrez des difficultés. Les randonneurs, y compris ceux qui ont un intérêt spécifique, comme la pêche, l'escalade, la spéléologie et même le parapente, pourront trouver des sites isolés que des personnes moins aventureuses n'auront aucune chance de voir.

L'équipement approprié

Acheter son équipement pour une expédition avec sac à dos est une expérience coûteuse et déroutante, même pour les experts. Les progrès continus de la technologie produisent des équipements de camping toujours plus légers, plus isolants, plus confortables et qui sèchent toujours plus vite. Attention, cependant, de ne pas dépenser votre argent pour des articles que vous n'utiliserez peut-être jamais et qui, bien que légers, ajoutés les uns aux autres alourdiront considéra-blement votre sac. De nombreux objets sont vendus comme les versions « randonnée » d'articles utilisés à la maison, suggérant que vous pouvez avoir autant de confort sur un GR qu'à la maison.

À vélo
Utilisez des sacoches de vélo pour soulager votre dos.

Ce livre montre comment une bonne préparation vous permettant d'improviser dans la nature facilitera votre randonnée plus que tous les gadgets que vous pourrez transporter dans votre sac.

En montagne
En haute montagne, votre sac à dos doit absolument contenir tout votre équipement vital.

Partir sac au dos
Que ce soit pour une grande expédition ou, simplement, pour une randonnée touristique, il faut préparer un itinéraire et déterminer ce dont vous aurez besoin. Vous devez être physiquement apte à transporter votre charge et les objets importants doivent être facilement accessibles. Tout randonneur doit également savoir comment trouver un abri, se procurer de l'eau et de la nourriture, s'orienter à l'aide d'une boussole et d'une carte, et être capable de se déplacer sur des terrains difficiles, quel que soit le climat. Vous n'avez peut-être pas l'intention de traverser un désert ni de vous aventurer dans la jungle, mais sait-on jamais ce que les circonstances vous demanderont de faire ou si des conditions météorologiques extrêmes ne vous contraindront pas à un départ précipité.

À ski
Un sac à dos vous permet d'établir un camp, même sous des températures glaciales.

Agir en urgence
Choisir la grande randonnée avec sac à dos, c'est choisir l'aventure, mais cette décision courageuse comporte certains risques. Ce livre offre des conseils qui vous aideront à vous sortir de situations périlleuses, et des recommandations de secours d'urgence qui vous permettront de traiter les problèmes de santé que vous pourriez rencontrer en route.

Visiter des monuments
Certains monuments anciens ne sont accessibles qu'aux randonneurs intrépides.

Poursuivre son chemin
Les randonneurs ont en commun la même indépendance d'esprit et la même aptitude à faire preuve de bon sens face aux difficultés. Oui, vous pouvez être plus heureux dans la nature qu'à la maison - à condition d'apprendre à faire les choses différemment.

1 LES PRÉPARATIFS

LE TEMPS PASSÉ À PRÉPARER soigneusement une randonnée n'est jamais perdu. Commencez vos préparatifs de voyage à l'avance. Déterminez ce que vous voulez faire et étudiez toutes les options possibles. Vous pourrez avoir à vous inscrire à des cours de secourisme, suivre un programme de mise en forme, vous faire vacciner, calculer votre budget, choisir vos compagnons de voyage et acheter votre équipement.

PREMIÈRES CONSIDÉRATIONS

POUR RÉUSSIR VOS PRÉPARATIFS DE VOYAGE, commencez-les le plus tôt possible. En comptant à rebours les jours précédant la date de votre départ, établissez un calendrier des préparatifs à effectuer. Prévoyez suffisamment de temps pour les formalités indispensables, comme les passeports et les visas nécessaires.

Visas d'entrée
Certaines destinations ne requièrent pas de visa ni même de passeport. D'autres pays sont plus stricts et mettent assez longtemps pour traiter les demandes de visas. Vous pourrez avoir à fournir des références, un certain nombre de photographies d'une taille spécifique, une copie de votre certificat de naissance, des certificats de vaccination, des déclarations sur votre situation financière et professionnelle et un billet d'avion aller-retour. Il est donc préférable de vous renseigner sur les pièces et documents à fournir et sur les délais nécessaires. Certains pays exigent que la demande soit faite, en personne, auprès de leur ambassade. En règle générale, mieux vaut avoir, avant de quitter votre pays, tous les visas qui pourront vous être demandés.

Billets d'avion
Il y a plusieurs types de billets d'avion : les billets des trois classes standard (première, affaires et économique), les billets apex (qui doivent être réservés à l'avance et ne peuvent être changés) et les vols charter. Il existe aussi des passes « tour-du-monde » avec possibilité de faire plusieurs escales. Les billets charters coûtent moins cher mais votre avion risque d'être bondé, le vol peut être retardé ou arriver à une heure fort indue. Si vous devez emporter du matériel lourd, il peut être plus économique d'acheter un billet avec une franchise généreuse pour les bagages.

Devises étrangères
Contre le marché noir des devises étrangères, certains gouvernements exigent que vous changiez votre argent par les canaux officiels et présentiez les pièces justificatives. De même, certains produits étrangers pouvant se vendre très cher, vous pourrez avoir à prouver que vous n'avez rien vendu pendant votre séjour. Faites des copies de la liste de tous les articles que vous transportez, signées du service des douanes de votre pays, avec les numéros de série, les dates et lieux d'achat et les prix. Ce document sera utile pour répondre aux questions des douanes étrangères, ainsi qu'en cas de déclaration de vol ou de sinistre à votre assurance.

Précautions d'ordre médical
Les vaccinations requises varient suivant votre destination ; il se peut que les injections des vaccins soient étalées sur plusieurs semaines. Prévoyez également à l'avance les examens dentaires et les soins éventuellement nécessaires avant votre départ. Ne négligez pas de prendre une assurance médicale appropriée, les traitements à l'étranger coûtent parfois très cher et un rapatriement médical, inévitable en cas de grave problème de santé, peut être onéreux. S'il est possible de contracter rapidement une assurance vacances, les délais sont plus longs pour les assurances médicales, une visite médicale peut être demandée.

Mise en forme
L'exercice et la mise en forme sont bénéfiques à tous ; des vacances sportives sont une excellente raison de se mettre ou se remettre à faire de l'exercice. Il n'est pas recommandé de passer directement d'une activité sédentaire à un raid, sac au dos, à travers des contrées accidentées. Une mise en condition physique s'impose ; vous devrez ensuite vous habituer à marcher sur de longues distances avec des chaussures de randonnée et une charge sur le dos. La mise en forme doit se faire graduellement, sur trois mois. Si vous voulez en faire trop, trop vite, vous risquez de vous blesser. Votre entraînement fera ressortir vos propres limites physiques pour ne pas vous lancer dans des expéditions au-dessus de vos possibilités.

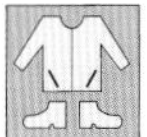

Habillement adapté
Le choix des vêtements et des chaussures à emporter est principalement déterminé par le climat et la nature du terrain que vous allez rencontrer - pour cela, les récits et conseils de personnes qui connaissent votre destination n'ont pas de prix. Vous pouvez acheter les premières épaisseurs de votre habillement à des prix raisonnables dans tout bon magasin de vêtements. Les articles se sport imperméables de qualité - bottes, capes et vêtements - isolants ou retenant la chaleur pour les nuits dans le désert, légers pour la jungle ou protecteurs - sont chers mais il est préférable de les acheter dans des magasins spécialisés. Achetez vos bottes plusieurs mois avant le voyage pour les « faire » à vos pieds.

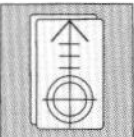

Aides de navigation
Les cartes de contrées lointaines sont parfois difficiles à trouver, mieux vaut donc commencer votre recherche à l'avance. Certains pays limitent la distribution de leurs cartes pour des raisons de sécurité, tandis que d'autres ne proposent que des cartes périmées. Achetez une bonne carte avant de partir. Procurez-vous une bonne boussole de type Silva et entraînez-vous à l'orientation près de chez vous. S'égarer dans une région hospitalière peut être une expérience précieuse et riche en enseignements. Une fois entraîné, vous pouvez acheter une boussole prismatique au cas où vos pérégrinations vous conduiraient loin de toute route.

Matériel de camping
Avant de dépenser votre argent, empruntez autour de vous du matériel de camping pour l'essayer au cours d'excursions pendant les week-ends. N'achetez que ce dont vous êtes sûr d'avoir besoin. Dans les magasins, demandez à voir les différents modèles en vente. Écoutez ce que les vendeurs ont à dire sans vous laisser convaincre d'alourdir votre sac en dépit du bon sens. Les articles de qualité seront plus abordables au moment des soldes de fin de saison. N'oubliez pas qu'il est interdit d'embarquer du combustible pour réchauds à bord des avions ; achetez donc un réchaud pour lequel vous pourrez facilement trouver du combustible sur place.

Compagnons de voyage
Les individus qui forment un groupe pour une grande randonnée doivent avoir des compétences complémentaires. Des randonnées préparatoires permettront de mesurer le rôle de chacun et souder l'équipe. Chacun démontrera ses connaissances en matière de secours d'urgence, escalade, matériel, photographie, etc. Il est déconseillé de partir avec des personnes qui ne se connaissent pas et sur lesquelles vous n'êtes pas sûr de pouvoir compter, ou des personnes au milieu desquelles vous vous sentiriez isolé. Si c'est le cas, parlez à chacun dès que possible. Même des amis peuvent se comporter de manière inattendue au cours d'une expédition.

CHOISIR UNE DESTINATION

VOUS APPRÉCIEREZ D'AUTANT PLUS VOTRE VOYAGE que vous vous serez bien renseigné sur votre destination et saurez pourquoi vous avez choisi d'y aller. Le sac à dos offre une liberté sans borne qui vous permet d'entreprendre des activités aussi diverses que celles décrites ci-dessous. Une fois le genre d'expédition choisi, informez-vous pour savoir quelle est la destination qui présente les options les plus excitantes.

Trekking à skis
Dans certaines régions, le trekking à skis est très bien organisé, avec des pistes, des points de location de matériel et des guides. Dans d'autres lieux, il faudra vous débrouiller tout seul.

Randonnée dans les canyons
Partir en randonnée à la découverte de paysages spectaculaires est une option séduisante. Renseignez-vous auprès de personnes qui sont déjà allées là où vous souhaitez vous rendre. Attention, même des guides de tours organisés peuvent se tromper sur les itinéraires ou les conditions qui vous attendent pendant l'expédition.

Expédition sur les cours d'eau
Certains pays ont bien équipé les régions qui sont explorables par les rivières ou les fleuves. Inspectez toujours le bateau, son équipement et les gilets de sauvetage avant de partir.

Escalade
Faire de l'escalade avec un gros sac sur le dos est très éprouvant. Entraînez-vous régulièrement avant de partir grimper à l'étranger.

Randonnée en montagne
Pensez aux effets de l'altitude, cependant, et imposez-vous de ne rien tenter qui soit au-dessus de vos capacités.

En VTT
Les publications spécialisées recommandent des itinéraires où les VTT sont les bienvenus et non interdits par la loi.

D'île en île
Voyager d'île en île en bateau est facile quand on ne porte qu'un sac à dos. N'oubliez pas d'emporter de l'eau potable et un vêtement coupe-vent.

Alpinisme
Certaines régions de la chaîne de l'Himalaya offrent de bonnes possibilités d'hébergement pour les randonneurs et les alpinistes.

Trekking dans la jungle
Un trekking dans la forêt vierge offre des spectacles incomparables. Rivières, cascades et des trous d'eau recouverts d'une végétation luxuriante.

Randonnée à vélo dans le désert
Les déserts sont peu visités, il est important de vous renseigner, avant de partir, sur les possibilités d'hébergement et d'approvisionnement. L'eau est un élément vital ; ne prenez pas de risques entre deux points d'eau.

Trekking dans la savane
La savane peut être un lieu de randonnée intéressant au printemps. Plus tard dans l'année, la chaleur et les pluies rendront souvent les déplacements difficiles voire impossibles.

Trekking à dos de chameau
Cherchez des moyens de transport originaux pour parcourir un pays. De nombreux trekking à dos de chameau sont organisés dans les déserts d'Australie.

Partir au bon moment

Bien que les dates de vos voyages soient souvent déterminées par la possibilité de vous libérer d'obligations personnelles, il convient d'être attentif à certains changements et événements qui peuvent se produire dans le pays où vous souhaitez aller. Renseignez-vous sur les conditions climatiques et sur la situation culturelle et politique du pays, vous ne le regretterez pas.

Les facteurs climatiques

En plus des températures (diurnes et nocturnes) et des précipitations que vous rencontrerez pendant votre séjour, il est important de vous informer sur les périodes où certains phénomènes climatiques peuvent se produire.

La saison des pluies
Les vents du sud amènent de fortes précipitations et le climat très pluvieux des moussons. La mousson du sud-ouest souffle de la Corne de l'Afrique vers l'Inde et l'Asie du sud-est équatorial ; la mousson du sud-ouest souffle nord-ouest depuis le Pacifique sud vers le continent asiatique.

La saison des cyclones
Les typhons d'été se forment au-dessus de l'océan Pacifique et de la mer de Chine, les ouragans d'hiver se produisent dans les Caraïbes et le golfe du Mexique.

Visibilité
La mousson est souvent suivie d'une période de très beau temps clair, qui peut se prolonger pendant des mois. Les conditions sont alors idéales pour prendre des photos.

L'altitude

En été, l'air qui se raréfie en altitude offre peu de protection contre les rayons du soleil. L'air sec accélère la déshydratation du corps. Si vous avez des problèmes cardiaques ou respiratoires, choisissez une expédition hivernale et évitez de voler directement jusqu'à des destinations de haute altitude.

LES ATTRAITS NATURELS

Autant visiter un pays quand il s'y passe quelque chose d'intéressant, de magnifique et d'important. Les gens du coin seront contents d'aider un voyageur qui vient voir ce que leur pays a de beau et de positif à offrir.

Les fleurs des montagnes
Certains randonneurs préfèrent la montagne en été. Ils peuvent utiliser les télésièges des stations de ski.

Les couleurs de l'automne
Certaines régions, comme le nord-est des États-Unis, sont renommées pour leurs forêts en automne. Cependant, les lieux d'hébergement sont très sollicités.

Les animaux migrateurs
Les rendez-vous d'animaux sauvages sont l'occasion de spectacles inoubliables. Pour observer les déplacements de grands troupeaux, vous serez plus en sûreté à bord du véhicule d'un tour opérateur.

LES FACTEURS DE SOCIÉTÉ

Informez-vous toujours sur ce qui se passe dans un pays avant de réserver votre billet. S'il est préférable d'éviter un pays en guerre, les visiteurs sont presque toujours les bienvenus pour les célébrations et les fêtes.

Religion
Certains événements, comme le jeûne du Ramadan dans les pays musulmans, imposent aux croyants des prescriptions qui vont affecter les visiteurs.

Guerre civile
Si le pays où vous souhaitez vous rendre devient le théâtre d'une guerre civile, n'y allez pas. Les risques d'être pris en otage ou entre deux feux sont trop sérieux pour être ignorés.

Festivals
Participer à un festival est une façon excitante de rencontrer les gens du pays, mais attendez-vous à des prix plus élevés et à des difficultés pour vous loger.

RESTER EN BONNE SANTÉ

SE MAINTENIR EN BONNE SANTÉ est la plus importante des responsabilités quand on voyage. Faites-vous faire un examen dentaire et un bilan médical complets avant votre départ et assurez-vous que vos vaccins sont encore valables. Suivez des cours de secourisme et emportez une trousse à pharmacie pour les premiers soins.

TROUSSE DE PREMIERS SECOURS

Les premiers secours peuvent sauver une vie ou stabiliser l'état d'un blessé le temps du transport chez un médecin. Votre trousse doit contenir des épingles de nourrice pour attacher les bandages et autres pansements.

BANDE VELPEAU

BANDE DE GAZE

PANSEMENT DE GAZE

Les bandages
Utilisez les bandages pour fixer des pansements en place, maintenez les blessures fermées ou faites des attelles sur des membres fracturés.

SPARADRAP LARGE

SPARADRAP ÉTROIT

Les pansements adhésifs
Utilisez ces pansements pour protéger les blessures contre les saletés. Les sparadraps placés sur des ampoules doivent bien adhérer et résister aux frottements.

Les analgésiques
Conservez les analgésiques pour des urgences.

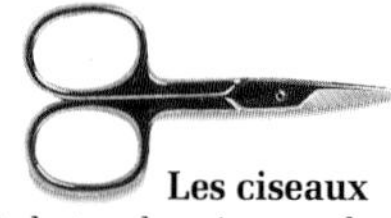

Les ciseaux
Achetez des ciseaux de très bonne qualité.

Épingles de nourrice
Utilisez ces épingles pour fixer des bandages ou faire des sutures temporaires.

Antiseptiques
Utilisez des compresses antiseptiques pour nettoyer les blessures. Les crèmes antiseptiques favorisent la cicatrisation.

COMPRESSE ANTISEPTIQUE

CRÈME ANTISEPTIQUE

Le bandage triangulaire
Ce grand bandage peut servir d'écharpe pour soutenir un bras cassé ou servir de pansement.

Les compresses de gaze
Elles absorbent le sang et protègent les blessures.

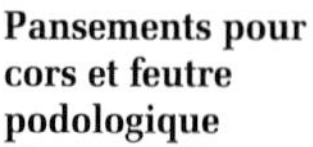
PANSEMENTS POUR CORS

FEUTRE PODOLOGIQUE

Pansements pour cors et feutre podologique
Une rondelle pour cor ou un pansement podologique permet d'éviter qu'une simple ampoule ne s'aggrave. Coupez un morceau de feutre d'une taille suffisante pour maintenir le feutre avec un pansement adhésif.

LES VACCINS NÉCESSAIRES

Vérifiez votre carnet de vaccination au moins trois mois avant de voyager. Certains vaccins, comme le ROR (rougeole/oreillons/rubéole), peuvent nécessiter un rappel. Si vous n'êtes pas sûr de vos vaccins ou des dates de vaccination, faites-vous vacciner de nouveau.

Zone 1 : **Europe, Amérique du nord, Australie, Nouvelle-Zélande, Japon.** Contre le tétanos.

Zone 2 : **Afrique du nord.** Vaccins contre la typhoïde, le tétanos et la polio. Une prophylaxie par gammaglobuline est recommandée contre l'hépatite A, pour les personnes visitant la côte méditerranéenne ou s'y baignant.

Zone 3 : **Afrique.** Tous les vaccins de la Zone 2, plus les vaccins contre la fièvre jaune et/ou la méningite, et contre la rage pour les expéditions dans des zones rurales.

Zone 4 : **Moyen-Orient.** Tous les vaccins de la Zone 2, plus vaccin contre la méningite et vaccin antirabique pour les personnes se rendant à la Mecque.

Zone 5 : **Asie.** Tous les vaccins de la Zone 2, plus vaccins contre la rage et l'encéphalite B du Japon. Vaccin contre la méningite pour les personnes se rendant en Inde ou au Népal.

Zone 6 : **Mexique, Amérique centrale et Amérique du sud.** Tous les vaccins de la Zone 2, plus la fièvre jaune pour Panama et le bassin amazonien. Vaccin antirabique pour les zones rurales.

Zone 7 : **Îles des Caraïbes et du Pacifique.** Tous les vaccins de la Zone 2. Ils sont particulièrement importants pour Haïti et la république Dominicaine.

TRUCS UTILES

- Ayez toujours sur vous, agrafés à votre passeport, les certificats de vos vaccinations.
- Certains pays exigent un certificat international de vaccination contre la fièvre jaune, en particulier si vous traversez les régions d'Afrique ou d'Amérique du sud où le virus sévit. Vérifiez la réglementation de chaque pays que vous comptez visiter.
- Pour éliminer le risque de contamination HIV par une aiguille hypodermique usagée, emportez un paquet d'aiguilles stériles en cas d'urgence.

PALUDISME OU MALARIA

Pour être efficace, le traitement contre le paludisme doit commencer deux semaines avant votre départ. Votre destination détermine le médicament antipaludéen qui doit vous être prescrit. La maladie est inoculée par les piqûres des moustiques Anophèles. Prolongez le traitement au moins quatre semaines après avoir quitté la zone à risque.

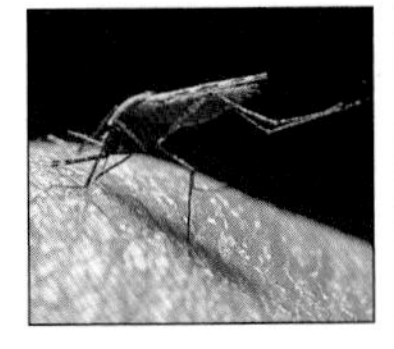

MOUSTIQUES ANOPHÈLES

LA MISE EN FORME

PORTER UN SAC À DOS PENDANT TOUTE L'EXPÉDITION demande une grande résistance. Aussi, commencez sans attendre votre mise en condition. Les exercices de stretching développent la souplesse et les exercices d'aérobic, comme la natation, augmentent le rendement du cœur et des pou-mons. Les exercices avec des poids permettent de muscler jambes, bras, épaules et dos.

ÉVALUATION DE VOTRE CONDITION PHYSIQUE

Le test de la marche détermine l'efficacité de votre cœur et de vos poumons. La hauteur de la marche ne doit pas excéder 20 cm. Montez sur la marche puis redescendez 24 fois par minute pendant trois minutes. Veillez à toujours placer tout le pied bien à plat sur la marche, en gardant l'autre pied à plat au sol. Reposez-vous 30 secondes, puis prenez votre pouls au poignet. Comptez les pulsations pendant 15 secondes, puis multipliez le nombre par quatre pour obtenir le nombre de battements cardiaques par minute. Comparez le total obtenu avec les chiffres du tableau ci-dessous.

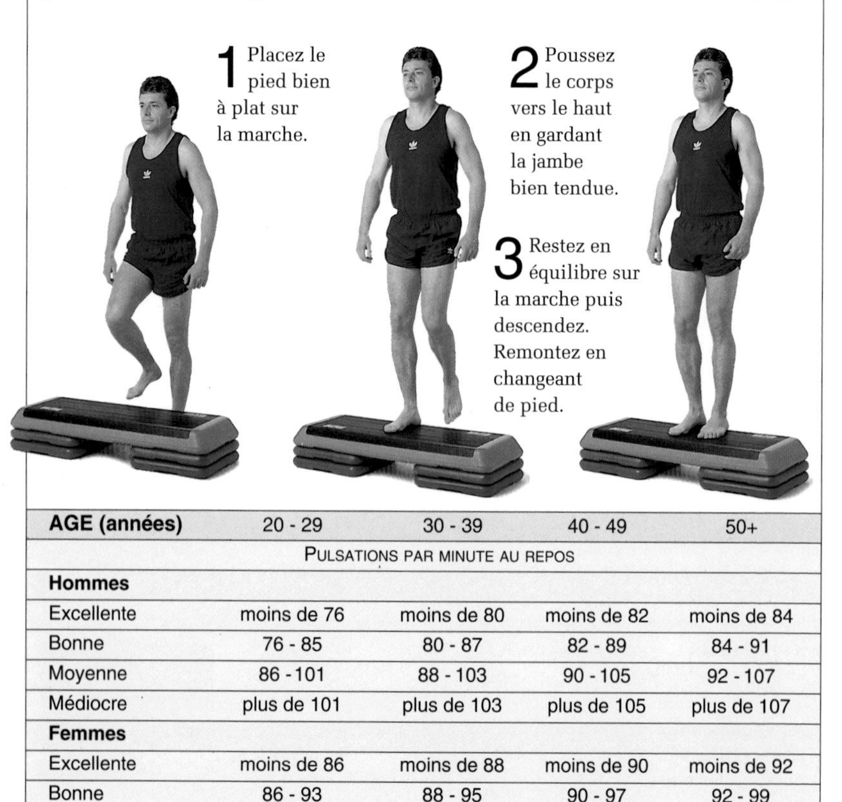

1 Placez le pied bien à plat sur la marche.

2 Poussez le corps vers le haut en gardant la jambe bien tendue.

3 Restez en équilibre sur la marche puis descendez. Remontez en changeant de pied.

AGE (années)	20 - 29	30 - 39	40 - 49	50+
	PULSATIONS PAR MINUTE AU REPOS			
Hommes				
Excellente	moins de 76	moins de 80	moins de 82	moins de 84
Bonne	76 - 85	80 - 87	82 - 89	84 - 91
Moyenne	86 - 101	88 - 103	90 - 105	92 - 107
Médiocre	plus de 101	plus de 103	plus de 105	plus de 107
Femmes				
Excellente	moins de 86	moins de 88	moins de 90	moins de 92
Bonne	86 - 93	88 - 95	90 - 97	92 - 99
Moyenne	94 - 110	96 - 112	98 - 114	100 - 116
Médiocre	plus de 110	plus de 112	plus de 114	plus de 116

STRETCHING

1 Effectuez une lente rotation des bras vers l'arrière et le haut.

2 Remontez les bras vers l'avant jusqu'à ce qu'ils touchent vos oreilles.

3 Effectuez des rotations rapides sur l'avant avec un bras puis l'autre.

4 Faites tourner chaque bras vers l'arrière en alternant.

ÉPAULES ET PECTORAUX

1 Levez les coudes et tenez les bras à l'horizontale.

2 Tirez les coudes au maximum vers l'arrière. Répétez ce mouvement.

3 Au troisième mouvement, tendez les bras sur le côté.

TAILLE

1 Levez les coudes à hauteur du menton et tenez les bras droits à l'horizontale.

2 Effectuez une rotation du buste d'un côté, en allant le plus loin possible vers l'arrière. Répétez ce mouvement.

3 À la troisième rotation, tendez le bras correspondant au sens du mouvement. Répétez-le.

ABDOMINAUX

1 Allongez-vous sur le dos et repliez les genoux. Placez les mains au niveau des oreilles.

2 Soulevez une épaule en pointant le coude vers le genou opposé.

BRAS

1 Allongez-vous sur le ventre, en vous appuyant sur le plat des mains et la pointe des pieds.

2 Soulevez-vous en poussant sur les bras jusqu'à ce qu'ils soient tendus, corps droit.

Travailler la résistance

Votre bonne forme physique limitera les risques de blessure pendant la randonnée. Des exercices réguliers vous permettront de développer votre endurance, votre force et votre agilité, tout en vous donnant conscience de vos propres limites physiques. Pour être efficace, un programme de mise en forme doit être modéré et progressif ; la force et la résistance s'emmagasinent lentement.

La natation
La natation permet une mise en forme complète, même si les bras et les épaules travaillent plus que les jambes. Soutenu par l'eau, le corps est moins exposé aux risques de foulures ou d'entorses. La natation est un exercice d'aérobic car le rythme du cœur et des poumons s'accélère suffisamment pour fournir aux muscles sollicités le supplément d'oxygène requis.

Pour éviter de vous ennuyer, vous pouvez regarder la télévision ou écouter la radio.

Changez de position en fléchissant ou tendant les bras.

Réglez la hauteur de la selle de sorte que les jambes s'allongent bien sans forcer sur le bas du dos.

Le cycle d'entraînement
Un cycle d'entraînement assure un très bon exercice pour les jambes, tout en développant la résistance cardio-vasculaire. La séance d'entraînement doit être assez longue pour faire transpirer et accroître la résistance du corps pour permettre des efforts plus prolongés.

Le port du sac à dos

Habituez-vous à porter votre sac en effectuant des promenades d'entraînement qui vous permettront d'augmenter votre endurance à la marche et votre résistance au poids du sac. Portez des chaussures de marche montantes et marchez d'un bon pas. Évitez de courir avec le sac à dos, vous risqueriez de vous faire mal aux genoux ou au dos. Même les soldats entraînés, qui courent parfois en portant un lourd paquetage, ne le font que sur du plat ou dans une descente, et sur un terrain stable.

Portez une charge minimale et rangez bien le contenu du sac.

Utilisez la sangle de poitrine pour répartir le poids des épaules sur tout le torse.

MUSCULATION

Un sac à dos sollicite la résistance du dos, des épaules, des genoux et des pieds ; il affecte votre équilibre et augmente les risques de blessure aux chevilles et aux genoux. Une musculature équilibrée assure une bonne endurance et vous protège contre les entorses et autres blessures.

Le torse et les bras
Les exercices d'haltérophilie ne développent qu'un nombre limité de muscles. Le banc de musculation, lui, développe à la fois le torse, le haut du dos et les bras.

Les bras
Les flexions des bras développent la force des bras et des épaules. Établissez un programme de musculation et effectuez chaque exercice avec des poids assez légers pour vous permettre de faire toute la série du programme.

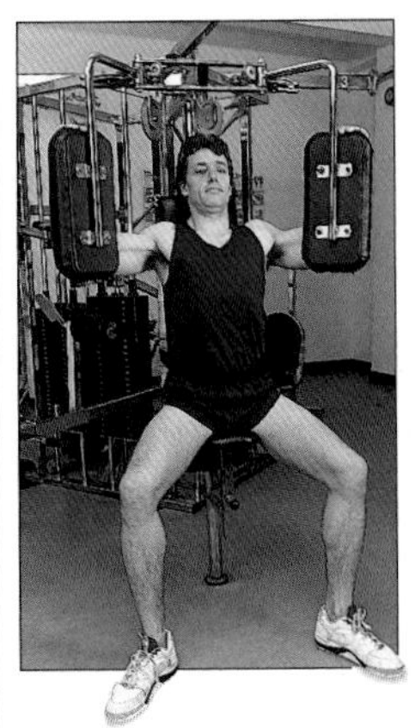

La poitrine
Les exercices effectués sur un banc de musculation, comme ce travail de la poitrine, doivent être exécutés avec une charge réduite pour la mise en condition des muscles et ligaments. Une charge trop lourde pourrait causer un déchirement musculaire au niveau du sternum.

Les jambes
Commencez l'exercice en fléchissant complètement les jambes, avec une charge que vous pouvez facilement déplacer. Travaillez les mollets séparément, en ajoutant du poids.

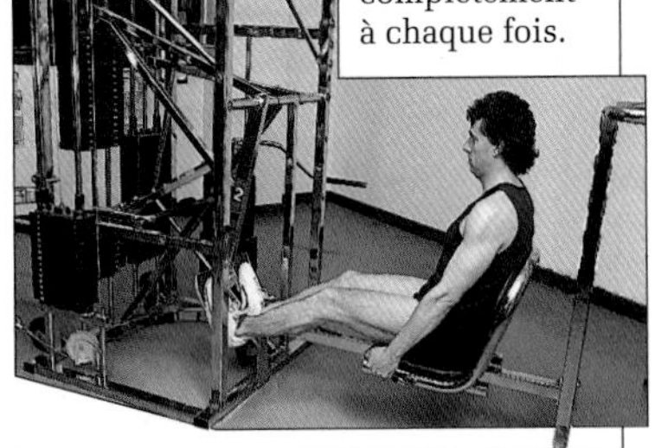

Tendez les jambes complètement à chaque fois.

ENTRAÎNEMENT À LA MARCHE

Effectuez des randonnées d'entraînement pour vous habituer à votre sac à dos, à vos vêtements et chaussures. Au début faites de courtes promenades. Quand vous marcherez tout un après-midi sans difficulté, entraînez-vous à l'orientation dans un endroit familier.

LES GRANDS VOYAGES

LES VOLS INTERNATIONAUX peuvent être fatigants et stressants. De plus, une fois que vous aurez atterri, il peut vous rester un long trajet avant d'arriver à destination. Mieux vaut arriver en avance à l'aéroport ; apportez de quoi lire pour vous occuper, et n'oubliez pas d'avoir sur vous suffisamment d'argent liquide dans la monnaie du pays où vous allez pour couvrir vos premiers frais.

LE DÉCALAGE HORAIRE

Traverser des fuseaux horaires dérange les cycles du sommeil, surtout si vous voyagez d'est en ouest. Le franchissement de la ligne internationale de changement de date vous fait soit gagner, soit perdre une journée.

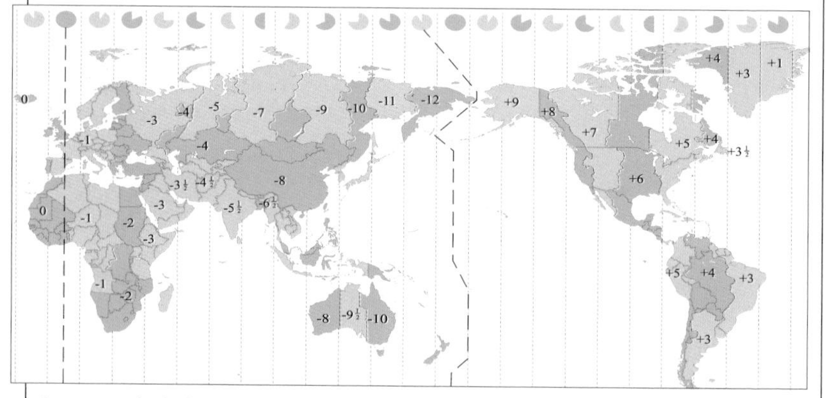

La traversée de fuseaux horaires
La carte (ci-dessus) établit la différence entre les heures locales et midi, heure de Greenwich à Londres. Les symboles montrent comment, en voyageant autour du monde depuis Londres, on traverse 24 fuseaux horaires, en perdant ou gagnant une heure à chaque fuseau, suivant que l'on voyage vers l'est ou vers l'ouest en direction de la ligne internationale de changement de date. Les chiffres indiquent le nombre d'heures qu'il faut ajouter ou soustraire à chacun des fuseaux horaires pour avoir l'heure GMT.

Un masque pour protéger les yeux de la lumière pourra vous aider à dormir.

Le réglage de votre montre
Dès que votre avion a décollé, vous pouvez ignorer l'heure de l'aéroport. Ce qui importe, c'est de savoir l'heure qu'il est là où vous allez et de régler votre montre en conséquence.

Dormir à l'heure
Le port d'un masque peut vous aider à dormir dans l'avion pendant les heures qui correspondent à la nuit dans le lieu de votre destination.

Organisation de votre équipement

Pour les voyages en avion, un grand sac à fermeture éclair est plus sûr que plusieurs pièces distinctes. Avant de partir, faites une liste sans oublier les numéros de série des appareils photos et objets de valeur. Pesez votre équipement - il est souvent avantageux d'acheter un billet qui donne droit à une généreuse franchise de poids. Étiquetez vos bagages, en inscrivant vos noms, adresse ou adresse de réexpédition, et numéro de téléphone international. Emballez séparément les articles comme les poignards, que vous souhaitez emporter.

Bien terminer le voyage

Après un vol international sans problème, vous pouvez être un peu désorienté en débarquant dans un aéroport, surtout si vous devez prendre des moyens de transport moins fiables pour la suite de votre voyage. Organisez vos correspondances à l'avance, quel que soit le moyen de transport, vous gagnerez du temps et vous vous éviterez des efforts et des inquiétudes.

Sur un ferry-boat ou un navire
Au moment de monter à bord, vérifiez qu'il y a bien des couchettes inclinables pour dormir, et observez la façon dont les gens rangent leurs bagages. Ne quittez jamais vos affaires des yeux. N'hésitez pas à engager la conversation avec les gens du coin. Les voyages régionaux peuvent être ennuyeux, et n'oubliez pas d'emporter des provisions.

En train
Les voyages en train sont souvent peu coûteux et très agréables. Des locomotives à vapeur sont toujours en service dans certaines régions du monde - attention de ne pas prendre de scories dans les yeux si vous sortez la tête par la fenêtre du wagon.

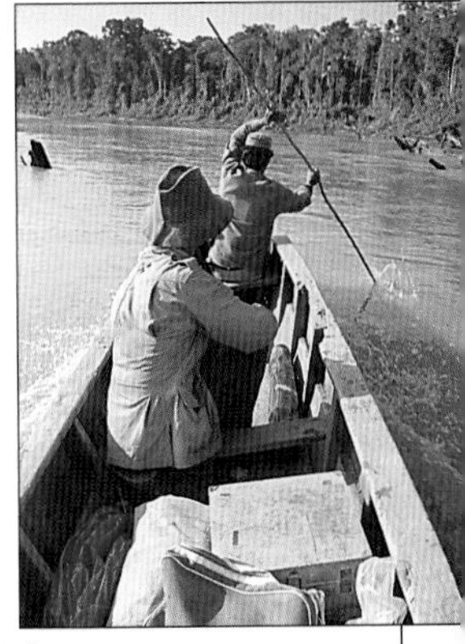

En bus
Les pays en voie de développement sont dotés de réseaux de transport par bus et autocars très développés, et de nombreux endroits isolés ne sont accessibles que par autocars. Vérifiez que votre bagage est solidement arrimé.

En bateau
S'il y a des gilets de sauvetage à bord mettez-en un. Les bateliers locaux connaissent généralement leur affaire, cependant, si vous pensez que le bateau est surchargé, n'hésitez pas à le dire.

À LA RENCONTRE DES GENS

RENCONTRER DES GENS qui vivent des vies très différentes de la nôtre est l'un des grands attraits des voyages. Repoussez toute idée préconçue concernant leurs modes de vie, n'essayez pas de les changer, appréciez-les tels qu'ils sont. N'oubliez pas que les aéroports et les lieux touristiques ont tendance à attirer une « faune » qui n'est jamais représentative de la population d'un pays.

LES CODES RELIGIEUX

Dans de nombreux pays, la religion joue un rôle central dans la vie individuelle, culturelle et politique de la population. Les voyageurs occidentaux doivent faire attention de n'offenser personne.

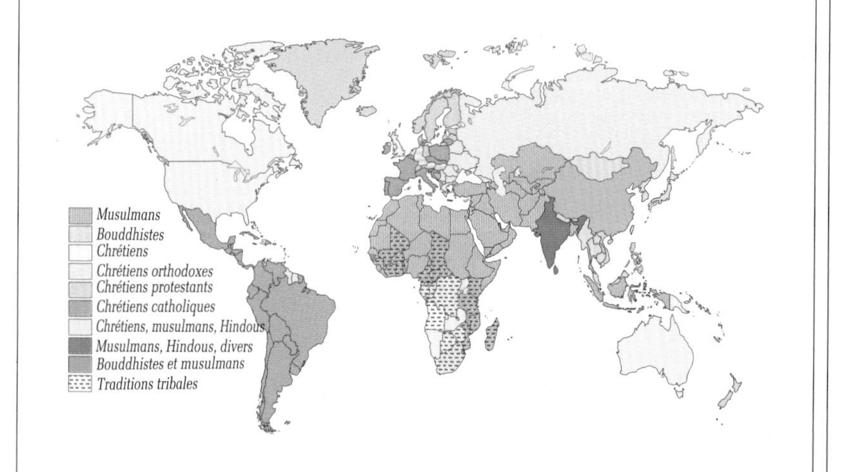

Les religions du monde
La carte ci-dessus situe schématiquement les religions dominantes dans le monde. Bien que le Christianisme, le Bouddhisme, l'Islam et l'Hindouisme jouissent d'une forte supériorité numérique dans certaines régions, chaque région contient des poches de populations adeptes de sectes ou de fois différentes. Pour le voyageur, la connaissance des croyances partagées par la majorité de la population est essentielle pour mieux comprendre les modes de vie et les comportements des gens.

La religion et le voyageur
Dans certains pays, les pratiques religieuses sont imposées par la loi. Il est souvent demandé aux voyageurs de se conformer à ces lois, au risque d'être poursuivis ou condamnés. Les voyageurs occidentaux, qui sont habitués à la tolérance religieuse, peuvent être choqués de se voir imposer des restrictions d'ordre religieux. Faites toujours montre de respect pour les coutumes des gens que vous rencontrez, surtout pour celles qui se rattachent à des lieux sacrés et à des temples.

Autorités locales

Il faut parfois faire preuve de persévérance pour obtenir ce dont on a besoin, comme un permis ou une autorisation. Certains fonctionnaires peuvent refuser de vous aider car, en fait, ils ne peuvent rien faire pour vous mais ne veulent pas perdre la face.

La police et les militaires
Les policiers et les militaires aideront volontiers un voyageur étranger s'ils ne sont pas trop pris par leurs devoirs et si votre attitude est positive et polie.

Les responsables locaux
Dans certaines régions rurales, vous pouvez agrémenter votre séjour en allant présenter vos respects au chef local, ce qui dissipera les soupçons de la communauté à votre égard.

TRUCS UTILES

- Ne critiquez jamais un aspect d'un pays devant ses fonctionnaires. Même s'ils sont d'accord, votre franc-parler peut porter atteinte à leur statut et à leur esprit national.
- Soyez patient avec les fonctionnaires. Tout agacement réduirait vos chances de vous faire comprendre.

Se présenter

Adoptez toujours une attitude aimable ; le manque de formalité peut apparaître comme de l'ignorance, de l'impolitesse ou un manque de respect. Efforcez-vous d'évaluer les gens que vous rencontrez, traitez-les avec respect, tout particulièrement les anciens et les femmes.

Demander votre chemin
Des conversations intéressantes commencent habituellement par un simple échange, comme les indications reçues après avoir demandé votre chemin.

Manger avec les gens
Les gens que vous rencontrerez sont souvent généreux. Une invitation à partager un repas est une offre d'amitié.

Se mêler à la foule
En adoptant l'habit local, vous camouflerez une différence qui pourrait vous tenir à l'écart des gens du pays.

S'ACCLIMATER

LES VOYAGES EN AVION BOULEVERSENT LES RYTHMES naturels de l'organisme. Il faut du temps à votre corps pour s'acclimater aux nouvelles conditions que lui imposent la traversée de fuseaux horaires et le passage brutal d'un climat à un autre. Alimentez-vous sainement et reposez-vous bien avant toute entreprise éprouvante.

ADAPTER L'ALIMENTATION

Votre corps s'adaptera d'autant plus facilement que vous vous limiterez à ne boire que de l'eau pure et à ne manger que des produits frais.

Ne prenez aucun risque avec votre alimentation tant que votre digestion ne s'est pas adaptée aux nouvelles conditions.

Les boissons à choisir
La déshydratation est forte au cours des vols de longue durée. Dès votre arrivée, buvez de l'eau stérilisée en grande quantité ou demandez de l'eau en bouteille. Exigez d'ouvrir vous-même la bouteille pour vous assurer que l'eau minérale n'a pas été remplacée par de l'eau locale. Évitez alcool, café et thé qui sont diurétiques et accroissent les pertes d'eau par sécrétion urinaire.

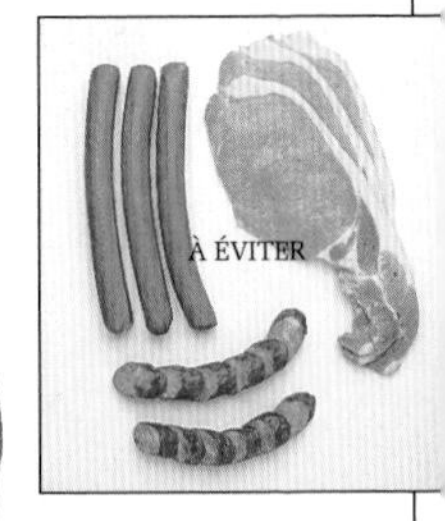

Les aliments à choisir
Un régime végétarien réduit les risques de maux d'estomac, si les légumes sont bien frais, soigneusement lavés dans une eau propre, pelés et bouillis. Évitez les salaisons jusqu'à ce que votre digestion soit adaptée aux nouvelles conditions. Dans les pays chauds, le poisson doit être acheté frais, avant le lever du soleil. N'allez manger que dans des établissements propres à l'hygiène irréprochable.

Chaud-froid

Dans les contrées chaudes, ayez toujours sur vous une réserve d'eau potable et buvez régulièrement. Dans les régions froides, l'appétit augmente, mangez plus pour envelopper votre corps d'une couche de graisse isolante.

Forte chaleur
Dans les pays chauds, les gens s'activent tôt le matin et en fin d'après midi quand il fait plus frais. Si possible, tenez-vous à l'abri du soleil dans le milieu de la journée et couvrez-vous la tête et le cou avec un keffieh (foulard arabe) ou un chapeau à large bord. Portez des lunettes de soleil haute protection.

Le keffieh se déplie et protège les bras et les épaules du soleil.

Le keffieh peut se rouler pour former une écharpe épaisse et isolante.

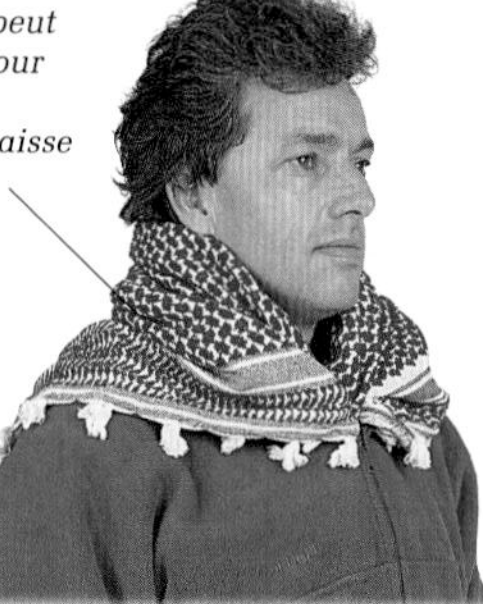

Nuits froides
Si le corps s'adapte à la chaleur en augmentant l'activité des glandes sudoripares, la seule défense contre le froid réside dans l'amélioration de l'isolation. Quand les nuits sont froides, doublez votre keffieh et faites-en une écharpe chaude pour protéger votre cou.

Faire de l'ombre
Quand vous traversez des déserts ou des montagnes dénudées, il peut être difficile de trouver un coin à l'ombre. La solution consiste à sortir votre couverture « de survie » pour en faire un parasol improvisé. L'enveloppe métallisée renvoie les rayons du soleil et maintient une température relativement fraîche sous la couverture. De plus, cette ombre permet aux yeux de se reposer de l'éclat du soleil.

Adaptation à l'altitude

Quand on entreprend l'ascension d'une montagne, le mieux pour s'acclimater à l'altitude, est de monter progressivement sans trop se charger. Cela revient à faire un exercice modéré en gagnant de l'altitude. Le corps compense la raréfaction de l'air en produisant plus de globules rouges qui augmentent l'absorption d'oxygène. En cas de malaise, le remède le plus sûr et le plus naturel consiste à descendre à une altitude inférieure, ce qui est préférable à la prise de médicaments tels que le diamox (acétazolamide).

CONNAÎTRE LES DANGERS

EN TANT QUE RANDONNEUR, vous aurez amplement l'occasion, au cours de voyages à l'étranger, de partager le mode de vie des habitants de chaque pays que vous visiterez. Cependant, faites attention aux risques qui ne vous sont pas familiers et veillez soigneusement à éviter tout problème de santé qui pourrait gâcher votre randonnée.

L'ALIMENTATION

Spécialités locales constitue l'un des plaisirs de voyager. Cependant, n'achetez jamais ce qui vous est proposé dans un restaurant, ou sur un étal dans un marché, dont l'hygiène serait douteuse, cela pourrait coûter cher à votre santé.

Denrées vendues dans la rue
Évitez les denrées qui sont exposées aux mouches et à toute autre sorte de contamination (à gauche). N'achetez que ce qui est cuisiné devant vous à une température élevée ou frit dans de l'huile très chaude, ou bien cuit dans de l'eau bouillonnante.

Les produits laitiers
Les bactéries se développent rapidement dans le lait et les produits laitiers. Après vous être lavé les mains, faites bouillir le lait et conservez-le dans un récipient stérilisé.

Les fruits et légumes
Préparez les fruits et cuisinez les légumes vous-même ; pelez les fruits juste avant de les manger. Les fruits à peau fine et les légumes à feuilles doivent être bouillis dans de l'eau additionnée de poudre stérilisante. Les œufs sont sans danger s'ils sont frais et si la coquille est intacte.

Les aliments préparés
Évitez les fruits ou légumes crus, coupés en tranches, vendus dans les rues ou dans les hôtels, car ils peuvent être contaminés. Les aliments « entiers » sont plus sûrs.

LES BOISSONS ET LA BAIGNADE

Aucune eau, pas même celle des ruisseaux en haute montagne, ne peut être considérée comme propre à la consommation avant stérilisation. Les baignades présentent aussi des risques car il suffit d'un contaminant mineur en amont, par exemple un animal mort, pour libérer des bactéries dans l'eau.

Les boissons
Les boissons en bouteille ou en boîte doivent être consommées fraîches mais sans glaçons - qui pourraient être de l'eau contaminée gelée.

ATTENTION

Portez toujours des chaussures pour vous protéger contre les schistosoma et autres organismes qui pourraient s'introduire dans vos pieds. Sous la douche, prenez l'habitude de porter des tongs.

La baignade
Avant d'entrer dans une rivière, vérifiez qu'il n'y a pas de déversoir d'égoût en amont ni d'autres sources de micro-organismes dangereux. Essayez de ne pas avaler d'eauen nageant. Ne plongez pas sans vous être assuré que l'eau est suffisamment profonde et ne dissimule aucun danger.

AUTRES DANGERS

Les personnes qui voyagent outre-mer oublient parfois que prendre des risques peut avoir des conséquences plus graves à l'étranger que chez soi. Que cela corresponde ou non à votre nature, il vaut mieux pécher par excès de prudence.

Les soins dentaires
Dans de nombreux pays, les dentistes ne seront peut-être pas autant qualifiés ni aussi bien équipés que le vôtre. Une visite chez un dentiste local ne doit être envisagée que pour des maux de dents intolérables et durables.

Les animaux
Il est préférable d'éviter tout contact avec les animaux domestiques et sauvages. Même des animaux familiers, qui n'auraient pas l'habitude d'être caressés ou soulevés, peuvent infliger une morsure profonde qui mettrait longtemps à cicatriser.

Les voyageurs en quête de romance seront bien avisés d'emporter des préservatifs pour se protéger contre le virus HIV. Dans certains hôpitaux, des aiguilles hypodermiques, infectées par le HIV, sont réutilisées lors des transfusions sanguines. Pour plus de sûreté, fournissez votre propre matériel intraveineux.

2
ÉQUIPEMENT ET TECHNIQUES

ACHETER UN ÉQUIPEMENT DE randonnée peut être déroutant et coûteux, surtout si vous n'avez jamais campé et devez tout acheter d'un coup. Étudiez soigneusement ce dont vous aurez besoin pour votre expédition. Fiez-vous à votre instinct, parlez-en avec d'autres randonneurs et vérifiez que le matériel que vous choisissez n'a pas de défaut. Ne vous laissez pas « baratiner », ne gaspillez pas votre argent en achetant des articles superflus et chers.

LES VÊTEMENTS

LES MEILLEURS TISSUS ISOLENT du froid tout en laissant filtrer la chaleur et l'humidité du corps. Des vêtements amples permettent au corps de ne pas s'échauffer, de ne pas trop transpirer et de conserver une bonne liberté de mouvement. Certains tissus isolent moins quand ils sont mouillés et nécessitent de porter une tenue imperméable par-dessus.

LE PRINCIPE DE LA SUPERPOSITION

Plusieurs épaisseurs de vêtements fins tiennent beaucoup plus chaud que quelques vêtements épais Vous pouvez réguler la température de votre corps en enlevant une ou plusieurs couches vestimentaires ou en aérant vos habits.

Première couche
La première couche, portée à même la peau, est composée d'un tricot de corps ou d'un tricot à manches longues en thermolactyl. Ce vêtement doit être ajusté sans être serré. Le matériau doit pouvoir absorber la transpiration et l'évacuer vers l'extérieur du vêtement. Cette couche doit être aussi propre que possible pour éviter l'encrassement des pores de la fibre, ce qui bloquerait le passage de la transpiration.

Deuxième couche
La deuxième couche doit être ample mais doit aussi protéger le cou et les poignets contre le froid. Elle peut comprendre un polo à col roulé zippé ou une chemise à col fermé avec des poignets boutonnés et des manches pouvant se retrousser. Par temps chaud, cette couche peut devenir la couche extérieure, sous un vêtement coupe-vent par exemple. Un polo à col roulé, zippé, peut s'aérer quand il fait chaud.

Troisième couche
La troisième couche peut être formée d'un pull-over ou d'une veste molletonnée, légère. Quand vous marchez, enlevez cette couche pour éviter de transpirer. Aérer votre parka isolante si vous avez encore chaud. Quand vous faites une halte pour vous reposer, remettez cette couche avant de commencer à sentir le froid. Cette couche peut servir de couche extérieure dans les régions tempérées ; cependant, gardez toujours un vêtement imperméable à portée de la main.

Couche extérieure
Ce doit être une veste, soit coupe-vent soit imperméable, ou les deux selon le climat de la région où vous vous trouvez. Dans les régions polaires, une parka fourrée et coupe-vent est indispensable pour affronter les vents glacés. Cependant, cette parka doit pouvoir s'aérer pour éviter d'avoir trop chaud et de transpirer abondamment, ce qui peut être dangereux. Dans les régions tempérées, le problème majeur est la pluie ; vous pouvez toutefois porter une cape imperméable par-dessus votre veste.

Caleçons
Les caleçons longs, en thermolactyl, serrés aux chevilles, ne sont pas nécessaires tant que la température ne descend pas en dessous de zéro, à moins que vous ne prévoyiez de longues périodes d'inactivité. Par très grand froid, portez un sous-vêtement avec une doublure coupe-vent au niveau de l'aine, notamment pour le ski. Un pantalon mouillé sèche moins vite s'il est porté sur des sous-vêtements longs. Les surpantalons imperméables ils empêchent l'évaporation de la transpiration.

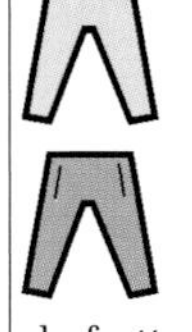

Pantalons
Un pantalon doit permettre une totale liberté de mouvement et doit sècher rapidement. L'utilisation de bretelles permet d'éviter les irritations causées par le frottement de la ceinture au niveau de la taille. Vous pouvez porter un surpantalon imperméable pour protéger vos jambes de la pluie battante, toutefois les matières imperméables étanches favorisent la transpiration. Par temps très froid, un surpantalon molletonné, assure une isolation supplémentaire.

COMMENT CHOISIR LE TISSU DES VÊTEMENTS

La laine est une fibre naturelle qui, même mouillée, possède des propriétés isolantes ; elle conserve la chaleur jusqu'à ce qu'elle soit véritablement trempée.

La laine absorbe énormément l'humidité et met longtemps à sécher. Portée à même la peau, elle provoque des démangeaisons.

Le coton est très résistant et absorbe l'humidité. C'est un bon choix pour les sous-vêtements et les autres vêtements qui sont en contact direct avec la peau.

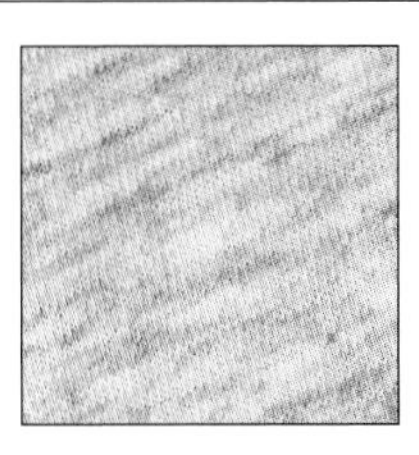

Le coton s'alourdit quand il se mouille, et peut rétrécir s'il est mal lavé. Il ne coupe pas le vent et peut se déchirer. En revanche, il brûle facilement.

Le molleton absorbe et évacue l'humidité. Les vêtements en molleton sont légers, résistants et n'absorbent pas l'humidité. Ils sont très confortables.

Le molleton ne fait pas coupe-vent, bien que certains vêtements comprennent une épaisseur de polycoton coupe-vent. Le molleton ne se compresse pas facilement.

Les fibres synthétiques qui « respirent » évacuent la transpiration tout en étant imperméables. Elles constituent habituellement des matériaux coupe-vent.

Les fibres synthétiques qui « respirent » peuvent laisser passer l'eau au niveau des coutures en cas de forte pluie, mais restent cependant très utiles.

Rester au frais

Les vêtements pour les climats chauds doivent être légers et amples. Mais le principe de la superposition s'applique ici, autant que pour les climats froids. Les couleurs claires vous protègent de la chaleur en la réfléchissant ; elles vous protègent moins, toutefois, des ultra-violets. Par temps frais et nuageux, il est agréable de porter des pantalons courts et une chemise à manches courtes, mais ces vêtements laissent bras et jambes exposés à des niveaux de radiation ultraviolette dangereux.

Chapeau
Un chapeau à large bord protège la tête et la nuque du soleil.

Sous-vêtements
Un tee-shirt en coton de couleur claire, porté sous la chemise, absorbe la transpiration tout en maintenant votre peau relativement au sec et dans une certaine fraîcheur.

Couche extérieure
Une veste coupe-vent légère constituera la couche supérieure et vous protégera du vent et du froid, à la tombée de la nuit. Certains tissus modernes sont très légers et ont des propriétés isolantes vraiment étonnantes.

Deuxième couche
Une chemise légère suffit pour former la couche principale. Les manches doivent être baissées en cas de chaleur extrême, par exemple dans le désert.

Pantalon
Le pantalon doit être ample et d'un tissu léger, en coton par exemple. Un pantalon à poches permet de transporter cartes et boussole, ce qui vous laisse les mains libres et vous dispense de porter une veste pour la journée.

Chaussures
Les chaussures doivent être légères avec des empeignes et des tiges qui permettent aux pieds de respirer et d'évacuer la chaleur. Des semelles épaisses et résistantes assureront une bonne isolation de la chaleur du sol.

Protection de la tête

Quand il fait froid, sous la pluie ou le vent, un chapeau peut vous empêcher de perdre jusqu'à 50 % de la chaleur de votre corps. Les rabats empêchent la perte de chaleur au niveau du cou et de la nuque.

CHAPEAU PAKISTANAIS

Chapeau qui se déplie vers le bas pour protéger la nuque, les côtés de la tête et le cou.

CHAPEAU RUSSE

Rester au sec

Les tenues imperméables doivent empêcher que les couches intérieures de vos vêtements ne soient mouillées tout en permettant à la transpiration de s'évacuer.

Capuche
Les capuches réduisent la vision et l'audition ; il vaut donc mieux ne les utiliser qu'en cas de fortes pluies ou de grands vents, ou bien au cours des haltes.

Veste
Fermez le rabat. Quand vous marchez, ouvrez la fermeture à glissière pour aérer votre veste.

Poches
Quand il pleut, fermez les glissières et rabats des poches pour qu'elles ne se remplissent pas de l'eau qui dégouline le long des manches de la veste.

Pantalon
Les pantalons imperméables ne sont conseillés que pour les fortes pluies car ils favorisent la transpiration. Les guêtres sont un excellent substitut pour la marche dans l'herbe mouillée.

Chaussures
Les chaussures complètement imperméables ne sont pas confortables car les pieds s'échauffent et transpirent trop. Il est préférable d'utiliser des guêtres et des chaussures de randonnée avec une languette cousue.

Rester au chaud

Par très grand froid, le corps doit être bien couvert mais n'oubliez pas que la transpiration non évacuée diminue les propriétés isolantes de vos vêtements.

Protection de la tête
Une cagoule protège la tête, une bonne partie du visage, la nuque et le cou.

Première couche
Un tricot et un caleçon long en thermolactyl absorbent la transpiration.

Sur-moufles
Épaisses sur-moufles portées par-dessus une ou plusieurs paires de gants plus fins.

Deuxième couche
Un polo à col roulé remonte sur la cagoule au niveau du cou.

Sous-gants
Les sous-gants empêchent la peau de coller aux objets glacés.

Couche extérieure
Sur-veste fourrée, à capuche, en tissu résistant à l'eau mais aéré, avec une fermeture zippée sous double rabat.

Pantalon
La salopette couvre la taille en permanence tout en permettant la ventilation du tronc et des épaules. Elle est souvent portée sur un pantalon.

Couche intermédiaire
Veste molletonnée qui doit absorber la transpiration tout en emprisonnant une couche d'air chaud contre le corps.

Moufles
Les moufles en laine enfilées entre les sous-gants et les sur-moufles vous permettent d'attraper les objets.

Chaussures
Les chaussures pour la neige sont souvent composées d'une coque plastique et de chaussons isothermes.

LES CHAUSSURES

AVANT VOTRE VOYAGE, il est important de porter toutes vos chaussures neuves pour les « faire », chez vous ou dans les environs, afin d'éviter des ampoules douloureuses. Si vous manquez de temps, trempez-les dans de l'eau et portez-les jusqu'à ce qu'elles sèchent. Ne faites pas cela le jour de votre départ.

BIEN CHOISIR SES CHAUSSURES

Pour choisir vos chaussures, pensez à la nature du terrain, à la saison et à la charge que vous allez porter. De grosses chaussures avec une semelle rigide conviennent à la plupart des activités. Évitez les trainers - chaussures légères pour balades - si vous devez transporter un gros sac.

Chaussures de sport
Ces chaussures de sport sont confortables mais elles ne protègent pas autant le pied que des modèles plus robustes pour randonnées. Le port systématique de chaussures de ce type assouplit le pied, ce qui accroît les risques de blessures.

Semelles en élastomère moulé.

Les tiges et empeignes en toile sèchent rapidement.

Chaussures de randonnée en toile
Ces modèles de chaussures conviennent tout à fait pour les randonnées assez courtes, tant que le terrain n'est pas trop accidenté. Les chaussures en toile protègent moins les pieds que les chaussures en cuir, mais sèchent plus vite après la pluie. L'idéal, après une marche dans des chaussures plus rigides, est d'enfiler des chaussures en toile pour se reposer les pieds.

ENTRETIEN DES CHAUSSURES

1 Ôtez les semelles et les lacets intérieures, lavez les chaussures à l'eau pour enlever la boue. La tourbe, qui est acide, peut abîmer le cuir.

2 Laissez les chaussures sécher complètement. Si possible, évitez toute source de chaleur directe qui pourrait craqueler le cuir.

3 Imperméabilisez les chaussures sèches en les enduisant d'une cire hydrofuge. Rangez-les dans un endroit sec.

Chaussures à coque plastique
Conçues pour maintenir fermement le pied pour la marche sur glace ou sur neige glacée avec des crampons, ces chaussures très isolantes peuvent rendre la marche malaisée. Chaque coque plastique contient un chausson isotherme amovible qui isole le pied du froid. Vous pouvez porter ces chaussons à l'intérieur de votre tente.

Chaussures de désert
Leur semelle résistante et leur empeigne légère en cuir suédé, permettent aux pieds de respirer tout en empêchant le sable brûlant de pénétrer. La haute tige protège la cheville des broussailles épineuses et donne une bonne tenue au pied. Le cuir suédé sèche très lentement.

Rangers
Ces chaussures sont faites de semelles en caoutchouc et d'une toile à séchage rapide. Après la traversée d'une rivière, l'eau est évacuée par des œillets situés à la cambrure du pied, et la chaussure se vide pendant que vous marchez.

Chaussures de randonnée
Elles concilient les exigences en poids, durabilité et protection, sont munies d'une épaisse semelle crantée, d'une empeigne résistante et imperméable. Le haut de la tige est entouré d'un rembourrage étanche.

LES IMPERMÉABILISANTS

Les traitements imperméabilisants sont recommandés pour la plupart des chaussures. Les chaussures en cuir doivent être imperméabilisées graduellement pour les assouplir. Les produits à base de cire sont excellents, la silicone est supérieure à la cire pour protéger le cuir contre les craquelures dans des conditions de froid extrême.

AÉROSOL À BASE DE SILICONE

AÉROSOL À BASE DE CIRE

CIRE

LES SOINS DES PIEDS

Les pieds supportent le poids du corps et du matériel. Il est donc important de durcir vos pieds en portant vos chaussures de manière appropriée et les soigner régulièrement tout au long de la journée.

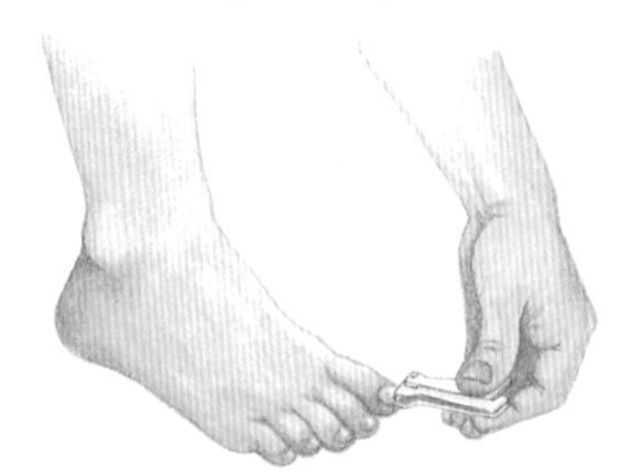

La coupe des ongles
Coupez-vous les ongles, courts et droits, avec un grand coupe-ongles. Des ongles trop longs peuvent se casser ou blesser le bout de vos orteils. Ils accentuent l'usure de vos chaussettes au niveau des orteils.

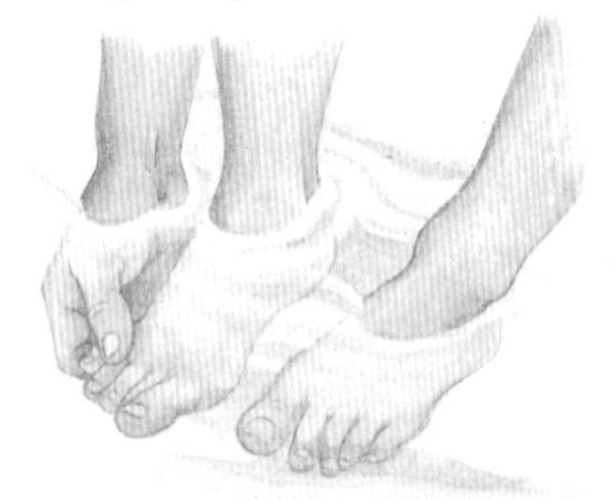

La toilette des pieds
Les pieds transpirent toujours dans de grosses chaussettes et dans les chaussures de marche, ce qui favorise la prolifération bactérienne. Lavez-les au savon, au moins une fois par jour.

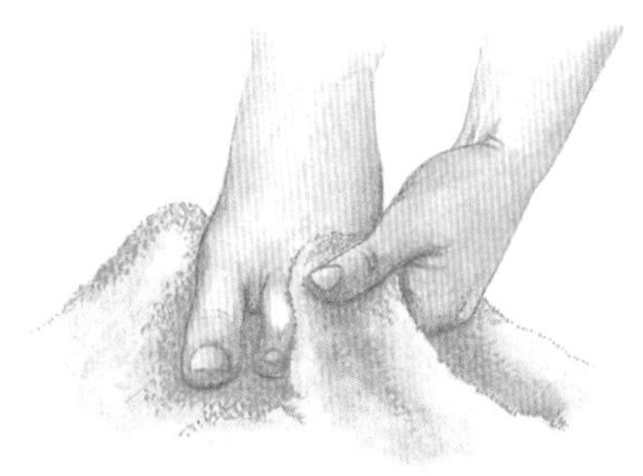

Le sèchage
Séchez-vous les pieds complètement avec une grosse serviette. Une fois secs, exposez-les au soleil et à l'air, en prenant soin d'éviter les coups de soleil.

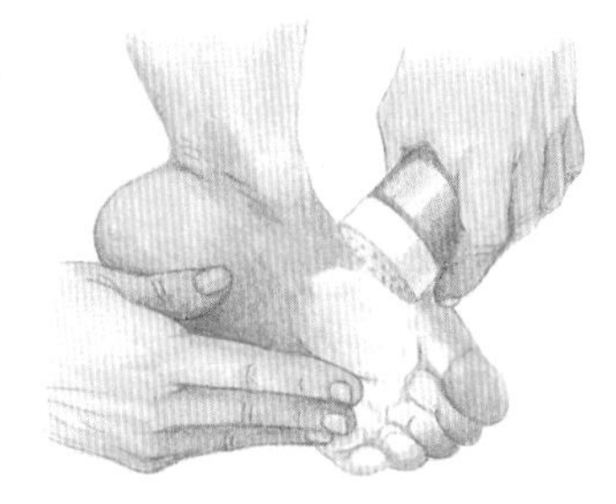

Le talcage
Passez régulièrement une poudre antifongique entre vos orteils et sur vos pieds pour prévenir les atteintes mycosiques.

MASSAGE DES PIEDS

Après une longue marche, le pied a tendance à s'aplatir, ce qui fatigue les os, les muscles et les ligaments. Vous pouvez y remédier par un massage. Prenez votre pied dans vos mains et frottez-le énergiquement avec les pouces. Le massage améliore la circulation du sang et soulage donc la douleur, conséquence directe d'une mauvaise circulation.

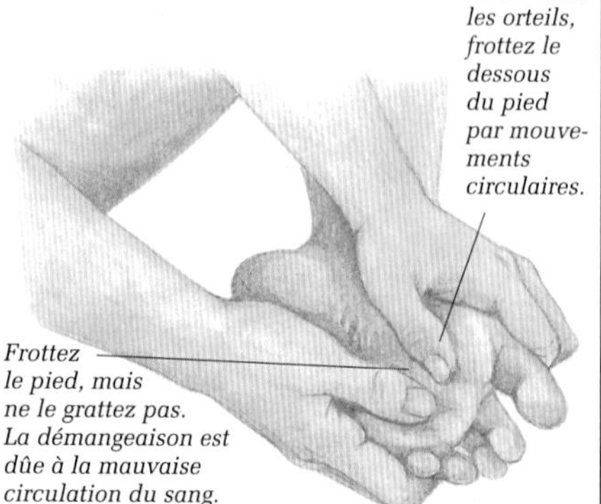

En écartant les orteils, frottez le dessous du pied par mouvements circulaires.

Frottez le pied, mais ne le grattez pas. La démangeaison est dûe à la mauvaise circulation du sang.

Choisissez bien vos chaussettes

Les chaussettes épaisses en laine sont confortables et isolent vos pieds du froid ou du chaud.
Les chaussettes fines absorbent et évacuent la transpiration. Enfilées sur des chaussettes plus épaisses elles protègent contre l'usure.

CHAUSSETTE D'ÉTÉ

Chaussettes de randonnée pour l'été
Les chaussettes pour les randonnées d'été ont un sous-pied épais pour l'isolation thermique et le confort. Le dessus du pied est léger pour réduire la transpiration.

Chaussettes montantes
Elles protègent vos jambes contre les égrati-gnures quand vous marchez en short ou en bermuda. Enfilez des chaussettes fines sous les chaussettes en laine pour évacuer la transpiration.

SOUS-CHAUSSETTE

CHAUSSETTE HAUTE

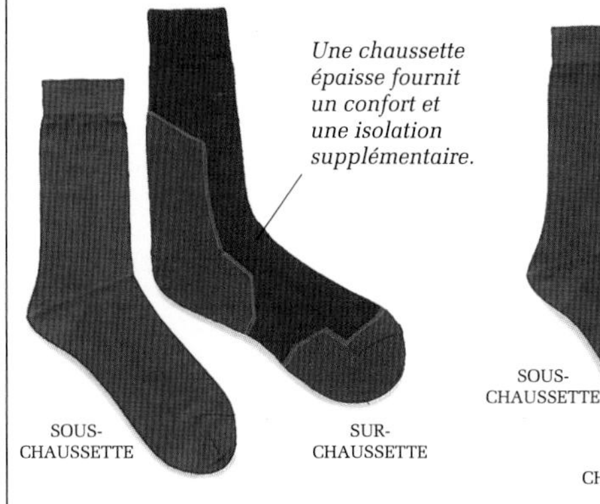

Une chaussette épaisse fournit un confort et une isolation supplémentaire.

SOUS-CHAUSSETTE

SUR-CHAUSSETTE

SOUS-CHAUSSETTE

CHAUSSETTE À CÔTES PLATES

SUR-CHAUSSETTE

Chaussette de randonnée pour l'hiver
Les sous-chaussettes fines en tissu aéré évacuent la transpiration. Les sur-chaussettes épaisses offrent un contact confortable dans les chaussures et isolent.

Chaussettes à côtes plates
Enfilez de vieilles chaussettes par-dessus des chaussettes d'hiver à côtes pour les protéger. Portez des sous-chaussettes fines et douces sous les chaussettes à côtes.

Les guêtres

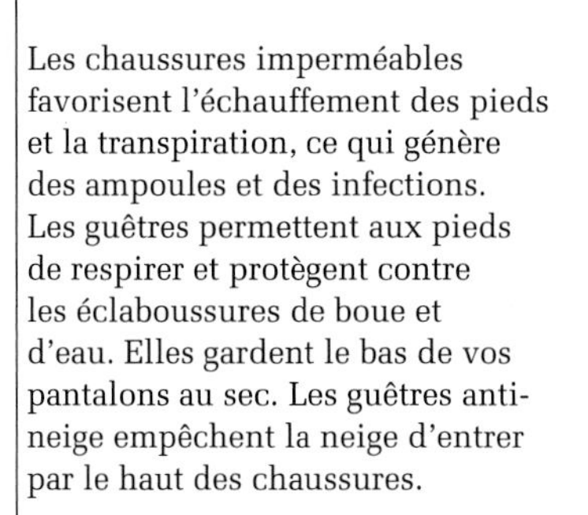

Les chaussures imperméables favorisent l'échauffement des pieds et la transpiration, ce qui génère des ampoules et des infections. Les guêtres permettent aux pieds de respirer et protègent contre les éclaboussures de boue et d'eau. Elles gardent le bas de vos pantalons au sec. Les guêtres anti-neige empêchent la neige d'entrer par le haut des chaussures.

GUÊTRES

GUÊTRES ANTI-NEIGE

LES SACS À DOS

LA PLUPART DES SACS À DOS MODERNES peuvent s'ajuster facilement aux diverses tailles de ceux qui les portent. En fonction de ce que vous devez emporter, évaluez la grosseur nécessaire du sac à acheter. Vous devez pouvoir faire entrer dans le sac tout ce dont vous avez besoin sans avoir à attacher quoi que ce soit à l'extérieur.

RÉGLAGE DU SAC À DOS

1 Si vous l'utilisez pour la première fois, remplissez-le d'une charge factice. Commencez par desserrer bretelles et sangles en étudiant leurs fonctions et la localisation des boucles des bretelles.

2 Allongez complètement le système de réglage du dos. Le seul réglage restant à faire doit être le serrage des bretelles.

3 Enfilez le sac à dos, puis serrez les bretelles jusqu'à ce que le sac repose confortablement sur votre dos et vos épaules.

4 Attrapez derrière vous les sangles de réglage pour le dos. Ajustez-les de manière à porter le sac aussi haut que possible sur les épaules.

Serrez les courroies de bretelles pour un dernier réglage.

5 Serrez la ceinture. La ceinture permet de transférer le poids du sac depuis les épaules, via le bassin, sur les jambes.

6 Tirez sur les rappels de charge pour relever le centre de gravité du sac et bien le plaquer contre votre dos.

7 En serrant les courroies des épaules et en desserrant la ceinture, vous soulagez la pression sur le bassin et vice-versa.

SAC VALISE POLYVALENT

Avec un sac polyvalent, vous pouvez transporter votre charge sur le dos ou en bandoulière ou comme une valise. Ces sacs offrent également une bonne protection contre le vol et les dommages éventuels dans les aéroports. Une autre solution, plus résistante et moins coûteuse, consiste à placer votre sac à dos à l'intérieur d'un gros sac, par exemple un sac de plongée.

SAC EN BANDOULIÈRE

Poignée latérale.

BAGAGE À MAIN

Sangles du sac à dos.

Rabat amovible pour couvrir les sangles.

RETRAIT DU RABAT AMOVIBLE

SAC À DOS

SAC À DOS DE PROMENADE

Un sac à dos de promenade doit contenir pour une journée : nourriture, eau, imperméable, appareil photo, cartes, boussole et nécessaire de premiers secours. Achetez un modèle résistant avec une armature et un dos rembourré.

SAC À DOS D'ESCALADE

Il est possible d'ajouter à certains sacs à dos d'escalade des poches latérales qui se détachent et fournissent des rangements supplémentaires. Sur certains, les poches amovibles s'assemblent pour former un sac de promenade.

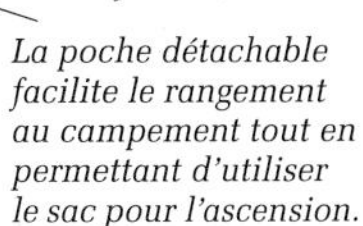

La poche détachable facilite le rangement au campement tout en permettant d'utiliser le sac pour l'ascension.

Le sac à dos n'est pas plus large que les épaules de l'alpiniste afin de ne pas entraver sa progression dans les passages étroits.

COMMENT REMPLIR SON SAC À DOS

Une fois plein, votre sac à dos doit être bien équilibré, les articles lourds sont placés en dessus, et le poids doit porter directement à la verticale sans tirer les épaules en arrière ni vous courber vers l'avant. Plus un sac est gros, plus on est tenté de le remplir de choses inutiles.

Idéalement, tout article emporté doit avoir au moins deux usages. À vous, donc, de bien évaluer si chaque article est indispensable. Une cape imperméable, par exemple, peut également servir de toit ou d'abri temporaire ou encore de tapis de sol étanche.

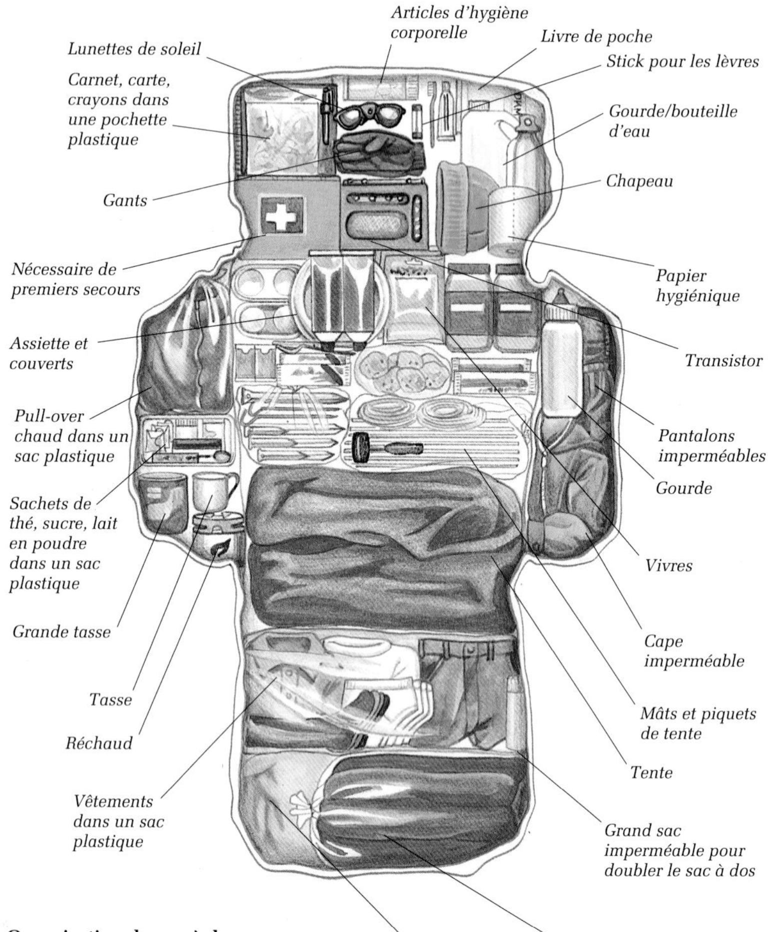

Organisation du sac à dos

Pendant la journée, vous devez pouvoir sortir vos vêtements imperméables, un pull-over, un réchaud, de la nourriture ou de l'eau sans avoir à vider votre sac. Pour cela, en rangeant le contenu de votre sac, pensez à ce dont vous pourrez avoir besoin pendant la journée.
Le contenu du sac à dos doit être mis dans des sacs étanches pour être à l'abri des intempéries ou d'une immersion accidentelle. Un grand sac plastique, placé à l'intérieur du sac à dos, constitue une doublure efficace mais il est préférable de répartir votre équipement en petits lots dans plusieurs sacs plastiques.

BIEN ÉVALUER LA CHARGE

Pour savoir si votre charge est réaliste, étalez en un même endroit tout ce que vous comptez mettre dans votre sac. Seule l'expérience dira combien vous pouvez porter sur votre dos mais essayez de vous limiter à 25 kg. Si vous prévoyez de traverser des terrains accidentés, une charge plus légère est préférable, un poids au maximum de 10 kg. Priorité doit être donnée à la quantité de vivres et d'eau à emporter.

SACOCHE VENTRALE

Une sacoche ventrale permet de garder sous la main les petites choses dont vous avez besoin régulièrement. Cette sacoche ne peut se porter en même temps qu'un gros sac à dos, car elle ne permet pas de fermer la sangle ventrale du sac, mais pensez à en emporter une avec vous.

Contenu de la sacoche
Le contenu dépend de vos activités. Une sacoche avec un compartiment pour gourde est préférable pour les climats chauds. Dans les villes, il est recommandé de porter vos articles de valeur dans une pochette attachée autour du cou, pour éviter de retrouver votre sacoche ventrale découpée par un pickpocket.

Gourde bien calée dans sa poche.

LUNETTES DE SOLEIL

CRÈME POUR LA PEAU

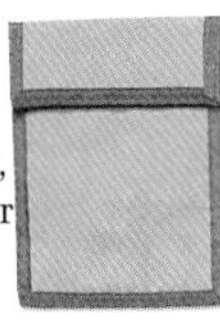
POCHETTE POUR DOCUMENTS

BANDAGE

CRÈME POUR LES LÈVRES

CARNET

BONBONS

ÉQUIPEMENT VITAL

Le plus sûr pour les articles vitaux de votre équipement, c'est de les porter pendus autour du cou, attachés à un solide cordonnet ; là, vous les avez immédiatement sous la main. Au cours d'un accident, vous pouvez perdre sac à dos, sacoches et vêtements mais vous aurez au moins sauvé les articles que vous portez autour du cou. Plus vous aurez l'habitude de les porter, moins vous risquerez de les oublier quelque part.

La boussole peut être consultée immédiatement.

Pour attirer l'attention, le sifflet est plus efficace que les cris.

La montre-bracelet est plus en sécurité autour du cou qu'à votre poignet.

Un couteau non attaché est facilement égaré.

LES SACS DE COUCHAGE

UNE BONNE NUIT est aussi importante qu'un repas chaud. Votre sac de couchage représente un havre de chaleur que vous devez protéger contre l'humidité, comme si votre vie en dépendait - ce qui pourrait très bien être le cas. Ne l'étendez pas à même le sol, secouez-le énergiquement et ouvrez-le complètement pour l'aérer, chaque fois que cela est possible.

BIEN CHOISIR SON SAC DE COUCHAGE

Les sacs de couchage sont conçus pour différentes utilisation. Informez-vous sur les températures moyennes de votre lieu de destination et achetez un sac approprié à la saison pendant laquelle vous voyagez.

Le garnissage doit être réparti régulièrement sur toute la surface du sac.

Rabat anti-froid sur la fermeture à glissière à l'intérieur du sac.

Sac sarco-norvégien
La capuche préformée empêche la déperdition de chaleur au niveau de la tête, du cou et des épaules. La glissière permet d'entrer facilement dans le sac. Le sac se serre autour de la tête en tirant sur le cordonnet.

Sac sans glissière
Le cordonnet permet de serrer le sac à hauteur de la tête et de limiter la perte de chaleur. Du fait de l'absence de glissière, il peut être difficile d'y entrer ou d'en sortir.

FABRICATION DU SAC DE COUCHAGE

Un sac de couchage garni de duvet est chaud, léger et se compresse facilement. Les garnitures synthétiques sont plus lourdes mais elles sont souvent moins chères et isolent mieux contre l'humidité.

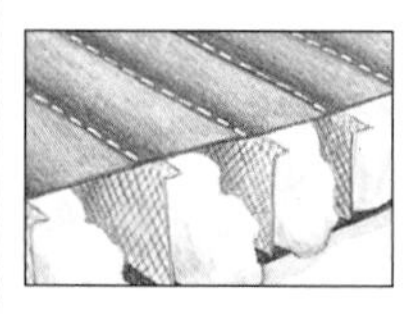

Compartiments non piqués
Les compartiments assurent la bonne répartition du garnissage.

À piqûres
Le garnissage est maintenu dans des canaux ovales mais les piqûres nuisent à l'isolation.

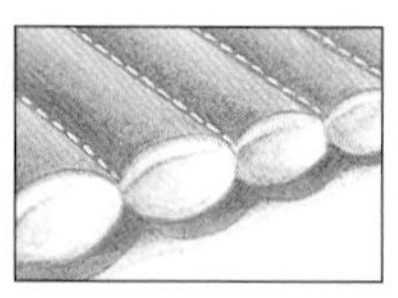

En biais
Les couches de fibre en biais emprisonnent l'air pour une meilleure isolation.

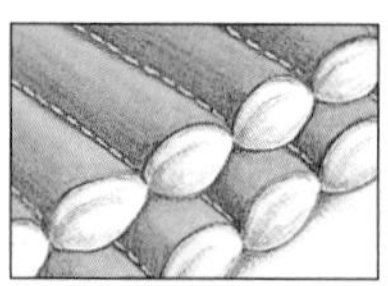

À cloisons décalées
La superposition décalée permet d'empêcher la déperdition calorifique.

Fond du sac

Les sacs de couchage de qualité sont conçus pour réduire la déperdition calorifique et pour fournir assez d'espace pour les pieds.

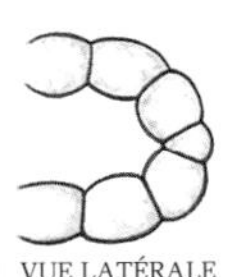

VUE LATÉRALE

VUE DE HAUT

Fond en boîte
Pour ce fond de sac, deux ou trois sections de garnissage sont cousues entre les moitiés inférieure et supérieure du sac pour éliminer la perte de chaleur au niveau des pieds. Les pieds ont une bonne liberté de mouvement.

VUE LATÉRALE

VUE DE HAUT

Fond en queue de poisson
Les moitiés inférieure et supérieure du sac sont cousues ensemble, verticalement, et permettent le déplacement des pieds vers le haut. L'isolation ainsi fournie n'est pas aussi efficace que celle du modèle en forme de boîte.

Réparer votre sac

Si votre duvet est déchiré, réparez-le immédiatement afin d'éviter de l'abîmer davantage. Raccommodez-le provisoirement à l'aide d'un ruban adhésif assez large, en attendant de pouvoir le recoudre convenablement. Vous pouvez cacher l'accroc par une pièce de tissu que vous aurez prélevée sur le sac dans lequel il se range.

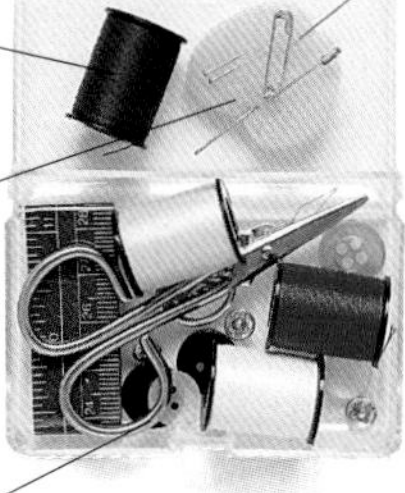

La couleur du fil peut être assortie à votre équipement.

Une pelote à épingles pour garder épingles et aiguilles en un même endroit.

De très bons ciseaux pour couper des pièces sans abîmer ni gâcher le tissu.

Les accessoires de couchage

Même le sac de couchage le plus cher n'isolera pas complètement les parties du corps qui sont en contact avec un sol froid. Les matelas de couchage améliorent l'isolation et constituent une barrière contre l'humidité.

Matelas « mousse »
Un matelas isole le sac de couchage du sol froid et humide. Il existe des matelas gonflables qui contiennent une mousse plastique pour préserver un certain confort en cas de crevaison.

Drap-sac ou « sac à viande »
Un drap-sac en coton permet de conserver une couche d'air entre vous et le sac de couchage. Il limite également l'usure du sac de couchage. Il préserve la propreté du sac car il est plus facile à laver.

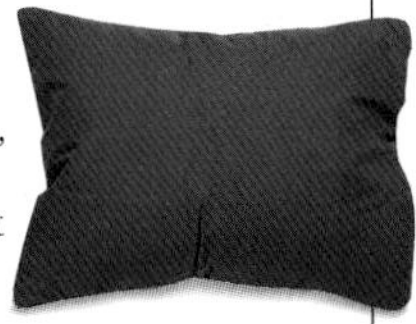

Oreiller gonflable
Bien qu'un oreiller ne soit pas indispensable, il peut vous aider à mieux dormir pendant les voyages en avion de longue durée.

Couverture de survie
Cette couverture légère à film métallisé pourra être vitale en cas d'urgence. Le film coupe-vent conserve la chaleur en réduisant la quantité d'humidité chaude (transpiration) qui s'échappe du corps. Le film renvoie également la lumière directe du soleil.

LES TENTES

ÉVALUEZ PARMI LES DIFFÉRENTS MODÈLES de tentes celles qui peuvent correspondre le mieux à vos besoins. L'idéal est de pouvoir emprunter plusieurs modèles et de les essayer sur plusieurs jours en tenant compte des conditions de votre expédition.

CARACTÉRISTIQUES D'UNE TENTE

La tente canadienne est le modèle idéal : deux mâts, une tente intérieure ventilée, un tapis de sol à coutures étanches et un double-toit imperméable. Des cordons réglables permettent de tendre et stabiliser la tente.

Le double toit imperméable est tendu par-dessus les mâts et la tente intérieure.

Le mât de devant est suffisamment haut pour permettre d'entrer et de sortir facilement.

Le mât arrière est plus court que celui de devant pour que l'arrière de la tente offre moins de prise au vent.

Une fermeture à glissière permet de fermer l'abside pour la nuit ou de l'ouvrir au moment de cuisiner.

Le double toit est tendu et arrimé au sol par d'épaisses sangles élastiques.

Des cordes réglables assurent une bonne tension et stabilité de la tente intérieure et des mâts.

Les élastiques tendus stabilisent la tente.

Une petite avancée fournit un coin abrité pour cuisiner ou ranger les sacs à dos au sec.

Résistant et imperméable, le tapis de sol isole la tente de l'humidité du sol.

La tente intérieure n'est pas indispensable dans les régions chaudes, sauf en hiver.

Tente canadienne
Elle peut affronter le mauvais temps et elle se monte facilement quel que soit le terrain.

CHOISIR UNE BONNE TENTE

Quand vous achetez une tente, il faut prendre en considération le poids, la résistance, la taille et la conception. Les tentes canadiennes sont très stables, les tentes dôme doivent être solidement arrimées au sol.

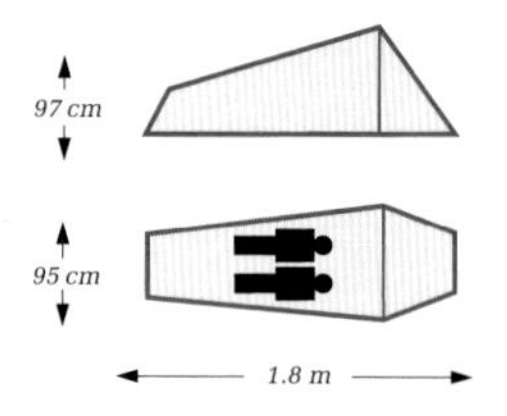

Tente canadienne biplace
Elle offre une abside suffisamment spacieuse pour cuisiner et pour le rangement.

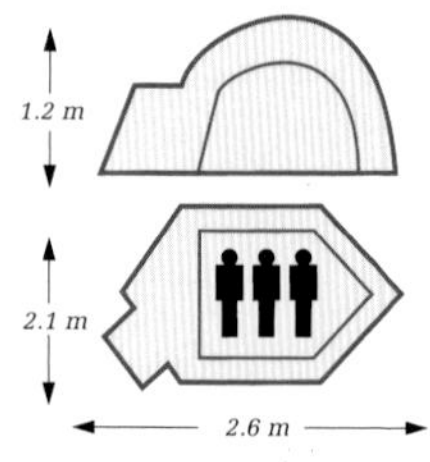

Tente dôme trois places
Sa hauteur intérieure est supérieure à celle d'une tente canadienne de taille comparable.

Différents modèles de tentes

La tente canadienne peut s'utiliser à peu près partout, la tente à dôme géodésique est conçue pour résister aux grands vents. Les tentes à armature extérieure sont plus faciles à monter que les tentes à armature intérieure. Dans des conditions climatiques extrêmes, les tentes à deux arceaux ne sont pas très stables, donc peu recommandées.

Tente à faîtière horizontale
Semblable à la tente canadienne, le modèle à faîtière horizontale est composé d'un mât horizontal, relié à deux mâts verticaux de même hauteur. Ceci permet d'accroître la hauteur du volume intérieur mais sacrifie la tenue au vent grâce à l'aérodynamisme de la forme en coin.

Tente dôme
Cette tente doit être solidement arrimée contre le vent mais elle est plus spacieuse qu'une tente canadienne.

Tente à un arceau
La tente à un arceau est légère et facile à monter dans la plupart des terrains tout en étant spacieuse. Son profil très incliné lui permet de dévier les vents.

Tente tunnel
L'armature des tentes tunnel est constituée d'un maximum de trois arceaux, un grand au centre et un plus petit de chaque côté.

Tente à dôme géodésique
La tente à dôme géodésique est résistante, légère et facile à monter. Elle doit être solidement arrimée, mais son armature composée de mâts courbes qui s'entrecroisent lui confère une rigidité et une stabilité supérieures à celles d'une tente dôme simple. Au lieu des cordes de tente, ce sont des mâts flexibles, entrecroisés à des niveaux différents, qui maintiennent la toile tendue.

L'ÉQUIPEMENT DE CUISINE

MANGER OU BOIRE CHAUD est vital - pour le moral autant que pour l'organisme. L'équipement de base doit comprendre une casserole avec couvercle, une cuillère en bois, une grande tasse, une assiette et un petit réchaud.

RÉCHAUDS ET COMBUSTIBLES

Le choix d'un réchaud se fait en fonction du poids, du combustible et de la disponibilité de celui-ci.

Les réchauds à gaz sont légers et faciles à entretenir mais ils ne chauffent pas aussi bien que les modèles pressurisés.

Mini-réchaud
Ce réchaud, très léger, consomme un mélange de butane/propane inutilisable quand la température descend au-dessous de zéro. Ce modèle convient seulement pour les casseroles et poêles de petite taille.

Réchaud multi-combustibles
C'est l'un des réchauds les plus vendus dans le monde. Ce modèle peut fonctionner avec de l'alcool à brûler, de la paraffine ou du kérosène.

Réchaud universel
Ce réchaud chauffe très vite et convient à tous les usages. Ses supports escamotables permettent de cuisiner avec de grosses casseroles.

Support escamotable.

Réchaud non pressurisé
Ce réchaud, très vendu, fonctionne avec de l'alcool ordinaire. Il comporte un parevent incorporé et des casseroles amovibles et emboîtables. Il offre également un support très stable pour les casseroles. Il n'y a aucun élément mécanique à démonter.

COMBUSTIBLES POUR RÉCHAUDS

ALCOOL DURCI COMBUSTIBLE SOLIDE

BOUTEILLE D'ESSENCE

BOUTEILLE DE PARAFFINE

RECHARGE DE BUTANE

Les recharges de combustible doivent se distinguer facilement des bidons d'eau pour éviter tout risque de confusion. Elles doivent être parfaitement étanches ; toute fuite pourrait polluer votre nourriture ou endommager vos vêtements et votre équipement. Les cartouches de gaz ne sont pas autorisées dans les avions et ne sont peut-être pas en vente là où vous allez.

ALLUMAGE D'UN RÉCHAUD PRESSURISÉ

Les réchauds sous pression utilisent divers types de combustibles liquides. Le combustible pressurisé se transforme en vapeur dès qu'il se dégage.

Cette manette permet de contrôler le débit du combustible de la recharge au brûleur.

Utilisez la manette de réglage de la flamme pour dégager l'injecteur du combustible avant l'allumage.

Le combustible arrive dans le réchaud par cet orifice via un petit entonnoir.

1 Après avoir déverrouillé le clapet de pression, amorcez le réchaud en activant la pompe de pression une vingtaine de fois, au moins. Reverrouillez le clapet après chaque série d'activation de la pompe.

Etalez le gel d'essence tout autour du brûleur.

2 Dans des conditions favorables, le réchaud s'allume immédiatement. Par temps froid, il peut être nécessaire de préchauffer le réchaud en faisant brûler du gel d'essence pour vaporiser le combustible.

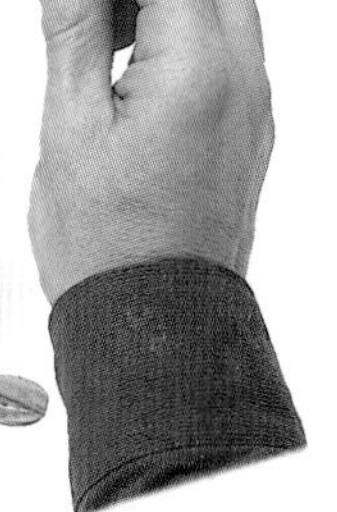

3 Allumez le gel d'essence. Quand le métal du brûleur est réchauffé, ouvrez la manette d'arrivée du combustible et la pâte enflammée allumera le combustible. Soyez patient - et prêt à pomper si nécessaire.

ATTENTION

Les réchauds pressurisés peuvent s'enflammer. Ne les utilisez pas dans une tente ou à proximité. Utilisez un combustible filtré et sans plomb, stocké dans un récipient facilement identifiable.

4 Utilisez la manette de contrôle de la flamme pour régler la flamme en fonction de vos besoins de cuisson. Si la flamme est irrégulière, pompez le réchaud pour augmenter la pression.

LES USTENSILES

Le facteur le plus important pour le choix de vos ustensiles est le poids total du sac à dos. Le strict minimum peut inclure une cuillère, une tasse, une casserole et un bol pour les plats chauds, une bouilloire, des assiettes et même une poêle à frire, notamment si vous voyagez en groupe. Préférez le plastique au métal, plus léger et plus pratique.

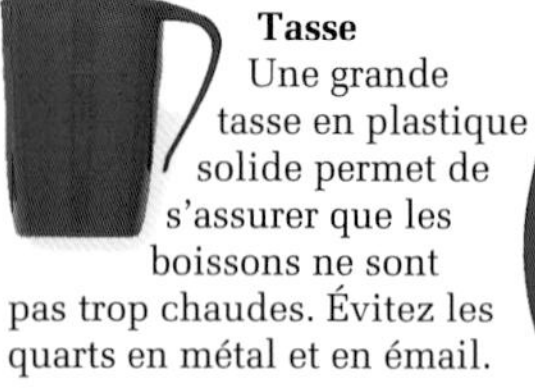

Tasse
Une grande tasse en plastique solide permet de s'assurer que les boissons ne sont pas trop chaudes. Évitez les quarts en métal et en émail.

Assiette
Après vous être servi, vous pouvez garder le reste de votre repas dans la gamelle.

Assiette creuse
La nourriture reste chaude plus longtemps dans une assiette creuse.

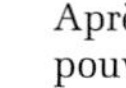

COUVERTS PORTE-COUVERTS

Couverts
Choisissez des couverts légers de bonne qualité.

Gamelle en aluminium
Les aliments chauffent vite dans les casseroles en aluminium mais il faut les surveiller de près car elles brûlent facilement.

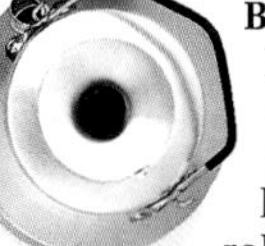

Bouilloire
L'utilisation d'une bouilloire permet de libérer les casseroles pour faire la cuisine. Faites chauffer la bouilloire pour avoir de l'eau chaude pour cuisiner.

GAMELLES

Poêle à frire
Une poêle à frire même légère n'est pas vraiment indispensable pour un randonneur solitaire, mais elle est bien pratique si vous partez en groupe ou si vous disposez d'un véhicule.

Des ustensiles fiables
Vous pouvez limiter vos ustensiles de cuisine à quelques pièces fiables. Une gamelle profonde en aluminium, avec une anse isolée par du ruban adhésif, est idéale pour cuisiner dans des conditions très difficiles. Le couvercle emboîtable peut aussi servir de bol ou de casserole d'appoint.

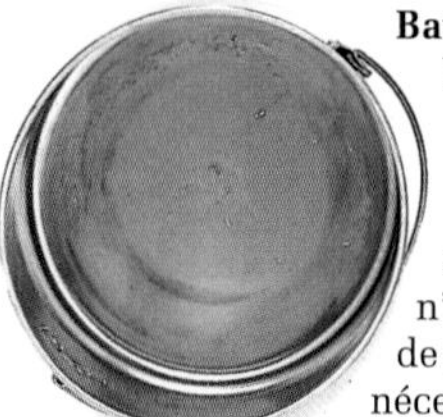

Batterie de gamelles
Une batterie de gamelles en aluminium permet de gagner pas mal d'espace mais n'emportez pas plus de gamelles que nécessaire.

Rangement des aliments

Les pots et autres récipients utilisé pour stocker les vivres doivent être légers et résistants, transparents de préférence. Les cols doivent être assez larges, les couvercles doivent fermer hermétiquement.

Poids limité
En transférant les vivres vendus dans de lourds bocaux ou pots en verre, dans des boîtes ou des pots en plastique, non seulement vous diminuez votre charge mais vous mettez aussi vos précieux vivres à l'abri de la casse. Les pots avec des couvercles qui se vissent sont les plus sûrs pour les produits en poudre comme le café ou le chocolat instantané.

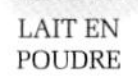
LAIT EN POUDRE

CHOCOLAT EN POUDRE

CAFÉ INSTANTANÉ

SUCRE

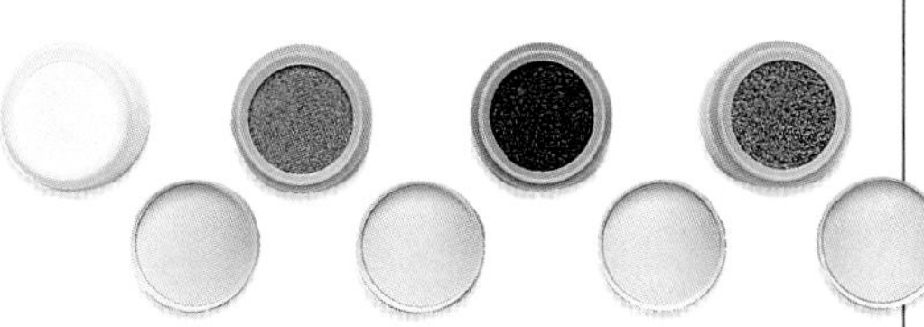

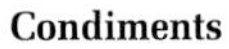

PIMENT ROUGE

POIVRE MOULU

HERBES

SEL

Condiments
Vous pouvez transporter de petites quantités de sel, poivre, herbes et épices dans des boîtes de pellicules photographiques qui ont des capuchons étanches. Étiquetez les boîtes avant le départ pour les identifier quand vous cuisinerez.

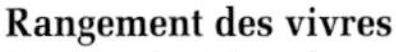

Rangement des vivres
En empilant les aliments dans des boîtes en plastique hermétiques, non seulement vous gagnez de la place mais vous évitez de renverser ou d'écraser certains aliments au fond de votre sac à dos.

FRUITS SECS

BISCUITS

Découpez le mode d'emploi sur l'emballage et placez-le dans la boîte.

CÉRÉALES

RIZ

BONBONS À SUCER

Rangement Tout-en-un
Placez les petits récipients, comme les pots d'herbes aromatiques, dans une seule boite. Comblez les espaces restants avec des articles utiles, par exemple des sachets de thé.

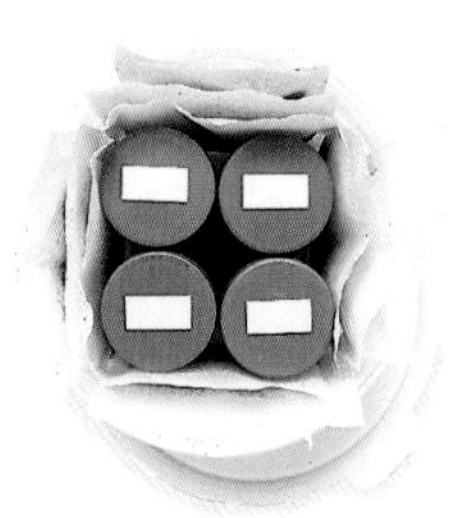

ALIMENTS À EMPORTER

Grâce aux aliments déshydratés et lyophilisés, il est possible d'emporter de la nourriture pour une grande randonnée sans surcharger votre sac. Les aliments en conserve ajoutent de la variété à vos repas, mais ils sont lourds à transporter. Quant aux produits frais comme l'ail, ils sont toujours les bienvenus.

PRODUITS SECS

Aliments énergétiques
Les aliments sucrés maintiennent le niveau de glucose nécessaire dans le sang, ils fournissent de l'énergie et permettent de lutter contre le froid.

Petit déjeuner
Les céréales, le muesli et les fruits secs sont des sources d'énergie et de vitamines nécessaires au début de la journée. Leur apport en fibres favorise le transit intestinal.

Féculents et légumes secs
Les féculents et légumes secs fournissent des protéines et des fibres. Le riz est riche en glucides.

Barres vitaminées
Il est préférable de grignoter tout au long de la journée pour conserver votre énergie et calmer votre faim, et de faire un gros repas le soir.

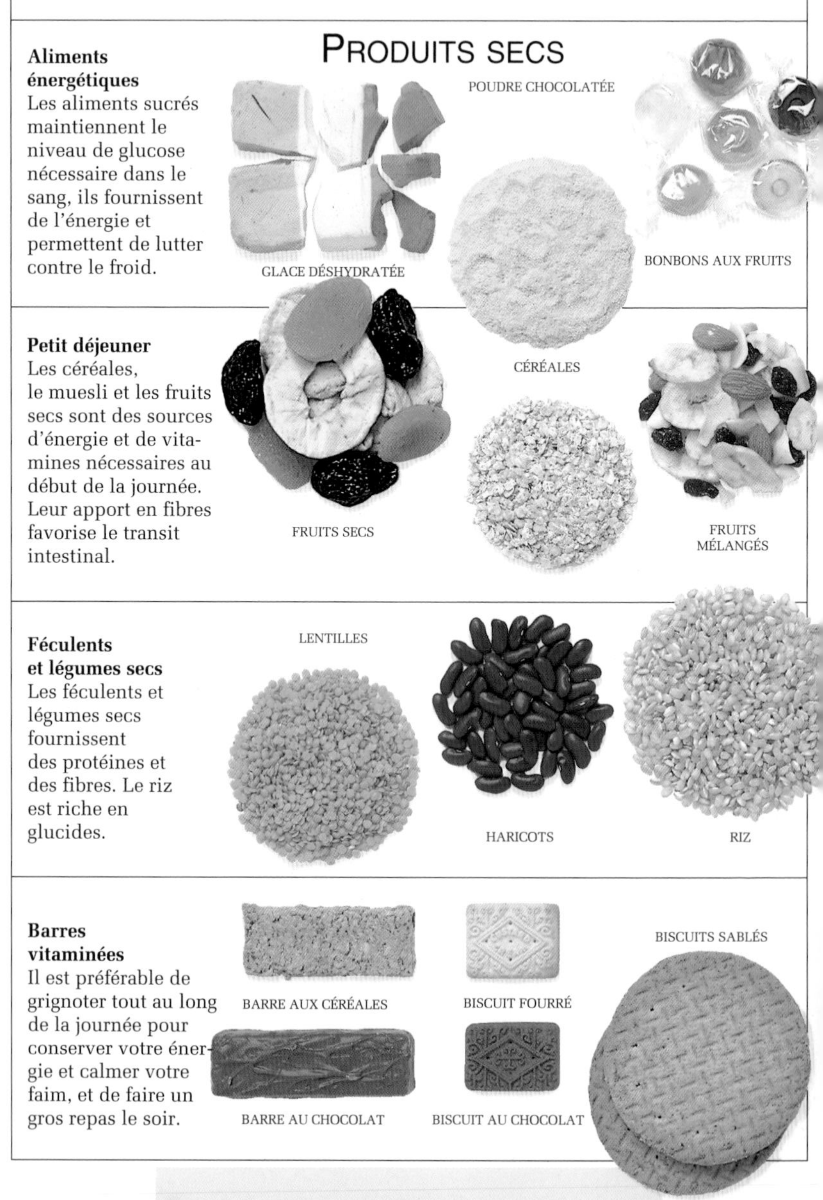

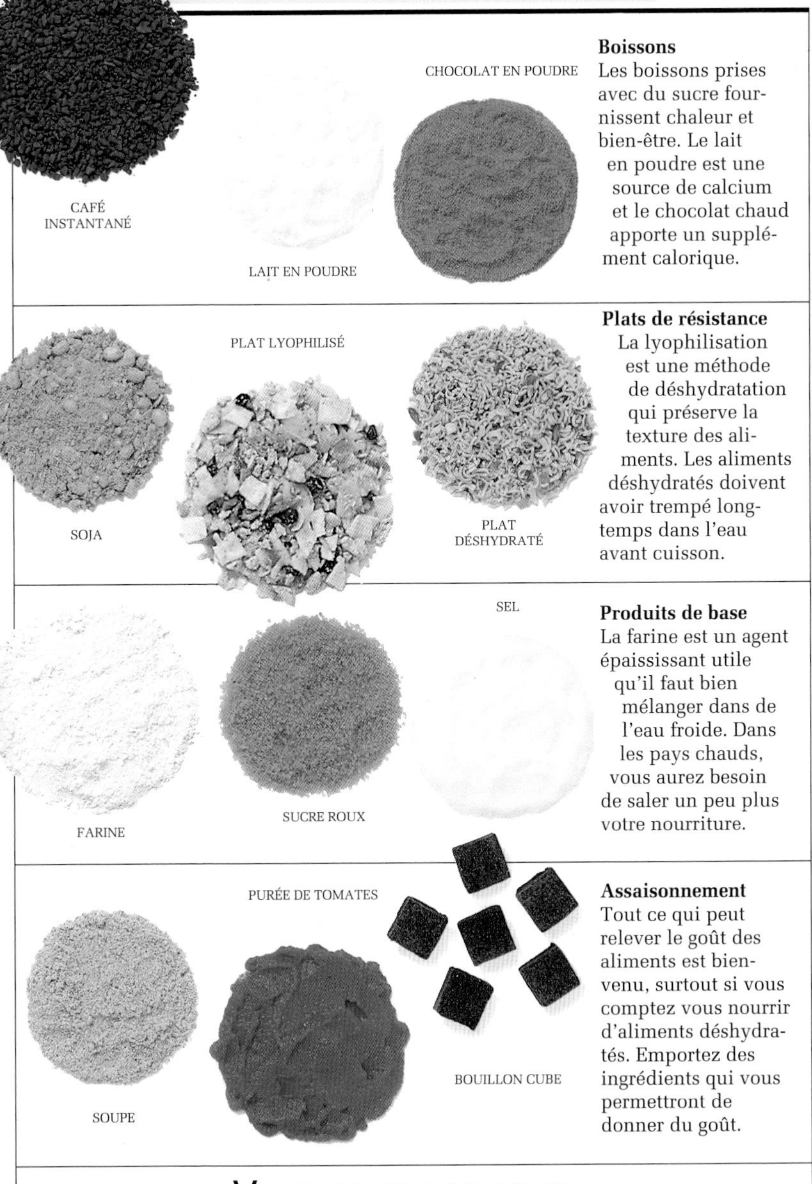

Boissons
Les boissons prises avec du sucre fournissent chaleur et bien-être. Le lait en poudre est une source de calcium et le chocolat chaud apporte un supplément calorique.

Plats de résistance
La lyophilisation est une méthode de déshydratation qui préserve la texture des aliments. Les aliments déshydratés doivent avoir trempé longtemps dans l'eau avant cuisson.

Produits de base
La farine est un agent épaississant utile qu'il faut bien mélanger dans de l'eau froide. Dans les pays chauds, vous aurez besoin de saler un peu plus votre nourriture.

Assaisonnement
Tout ce qui peut relever le goût des aliments est bienvenu, surtout si vous comptez vous nourrir d'aliments déshydratés. Emportez des ingrédients qui vous permettront de donner du goût.

VIANDES ET POISSONS

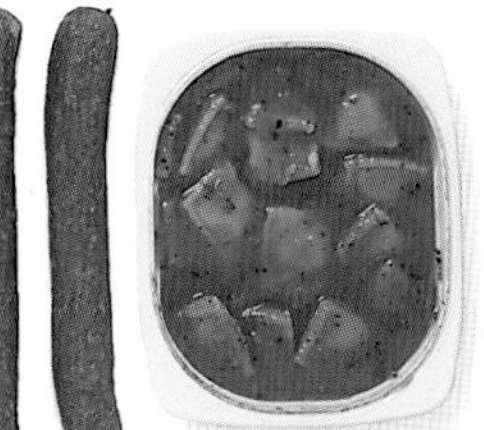
SALAMI PÂTES PRÉPARÉES

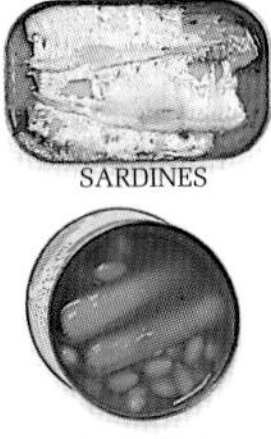
SARDINES
SAUCISSES ET HARICOTS

La viande rouge et le poisson sont riches en protéines. Les aliments en boîte doivent être consommés rapidement. Il y a aussi des options plus légères comme les conserves de viandes, les repas précuits, le poisson séché et les viandes séchées.

L'ÉQUIPEMENT POUR L'EAU

L'EAU PURE EST INDISPENSABLE POUR LA SANTÉ. Il est possible de rendre la plupart des eaux propres à la consommation en les filtrant soigneusement pour en extraire les dépôts, puis en les épurant chimiquement pour détruire les organismes dangereux. Si vous doutez de la qualité d'une source d'eau, doublez la dose de produit d'épuration chimique.

LES RÉCIPIENTS

Gardez vos récipients d'eau impeccablement propres pour éviter une recontamination de l'eau épurée. Par temps froid, une bouteille isotherme est un accessoire très précieux pour conserver de l'eau chaude pendant la nuit.

Gourde avec gobelet.

Capuchon vissable.

Gourde avec gobelet
Le gobelet sert de couvercle.

Gourde en acier
Elle est résistante mais très lourde.

Gourde plastique
Ce modèle en plastique résistant est idéal, mais à tenir loin du feu.

Bouteille isotherme
Permet de garder les liquides chauds ou froids.

Robinet vissable.

Vache à eau
Ce grand sac à eau peut se suspendre à un arbre, le vent préservera la fraîcheur de l'eau.

Bidon pliable
Attention de ne pas casser l'attache qui retient le bouchon à la gourde.

Poche à eau
Ne déposez pas ce modèle sur le sol où il pourrait facilement s'endommager.

Gourde-ceinture
Une gourde ceinture permet d'avoir de l'eau à portée de la main tout en ayant les mains libres.

ÉPURATION DE L'EAU

Il est parfois nécessaire de faire bouillir l'eau (pendant au moins cinq minutes) pour l'épurer mais il existe des produits chimiques stérilisants qui sont plus sûrs et plus efficaces.

Iode
Pas toujours facile à utiliser, l'iodine colore l'eau en rose et a un goût prononcé.

Pastilles
Utilisez une pastille par demi-litre d'eau, plus si l'eau est froide.

L'eau du récipient est pompée dans le réservoir du filtre.

Poignée de la pompe.

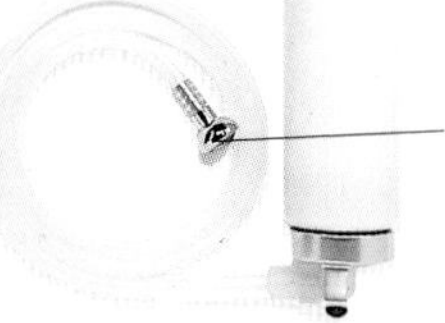

L'extrémité du tuyau est plongée dans l'eau impropre à la consommation.

Tasse à double filtre.

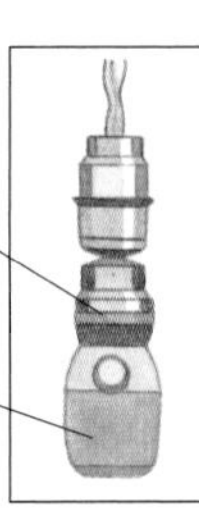

Le filtre s'adapte sur le bidon pour filtrer de petites quantités d'eau.

Bidon.

Les sections du filtre s'emboîtent sur la bouteille d'eau.

Elément filtrant intégré avec produits chimiques.

Mini-filtre
En activant la poignée de la pompe, vous faites passer l'eau impure à travers les éléments chimiques.

Épurateur à tasse
L'eau impure s'écoule lentement à travers les produits chimiques stérilisants. L'eau pure est recueillie dans le bidon.

LE RISQUE DE DÉSHYDRATATION

Parce que l'organisme ne stocke pas l'eau, il est nécessaire de boire régulièrement. Les besoins en eau sont commandés par la température, le métabolisme et l'activité physique. Le corps transpire pour réguler sa température et il emploie de l'eau pour désagréger les aliments. Pour réduire votre consommation d'eau, ne mangez plus et arrêtez toute activité physique, essayez de rester dans des endroits frais.

LES EFFETS DE LA DÉSHYDRATATION

1–5% perdu	6–10% perdu	11–12% perdu
Soif	Maux de tête	Délirium
Gêne	Vertige	Langue gonflée
Léthargie	Bouche pâteuse	Convulsions
Impatience	Picotements dans les jambes	Troubles de l'audition
Manque d'appétit	Bleuissement de la peau	Troubles de la vision
Rougeurs	Problèmes d'élocution	Insensibilité de la peau
Accélération du pouls	Difficultés respiratoires	Flétrissement de la peau
Nausée	Impossibilité de marcher	Difficulté à déglutir
Faiblesse	Troubles de la vision	Mort

Besoins en eau
Même au repos, nous éliminons un litre d'eau par jour en transpirant, urinant et respirant. L'eau constitue 75 % de notre masse corporelle et des pertes minimes suffisent à affecter notre santé.

NÉCESSAIRE DE RANDONNÉE

C'EST AVEC L'EXPÉRIENCE que vous apprendrez quels sont les accessoires indispensables pour une grande randonnée et quels sont ceux dont il vaut mieux vous passer. Après chaque expédition, éliminez tous les objets que vous n'avez pas utilisés et ajoutez ceux qui vous ont fait défaut. Les accessoires polyvalents sont tout particulièrement indiqués.

PETIT MATÉRIEL UTILE

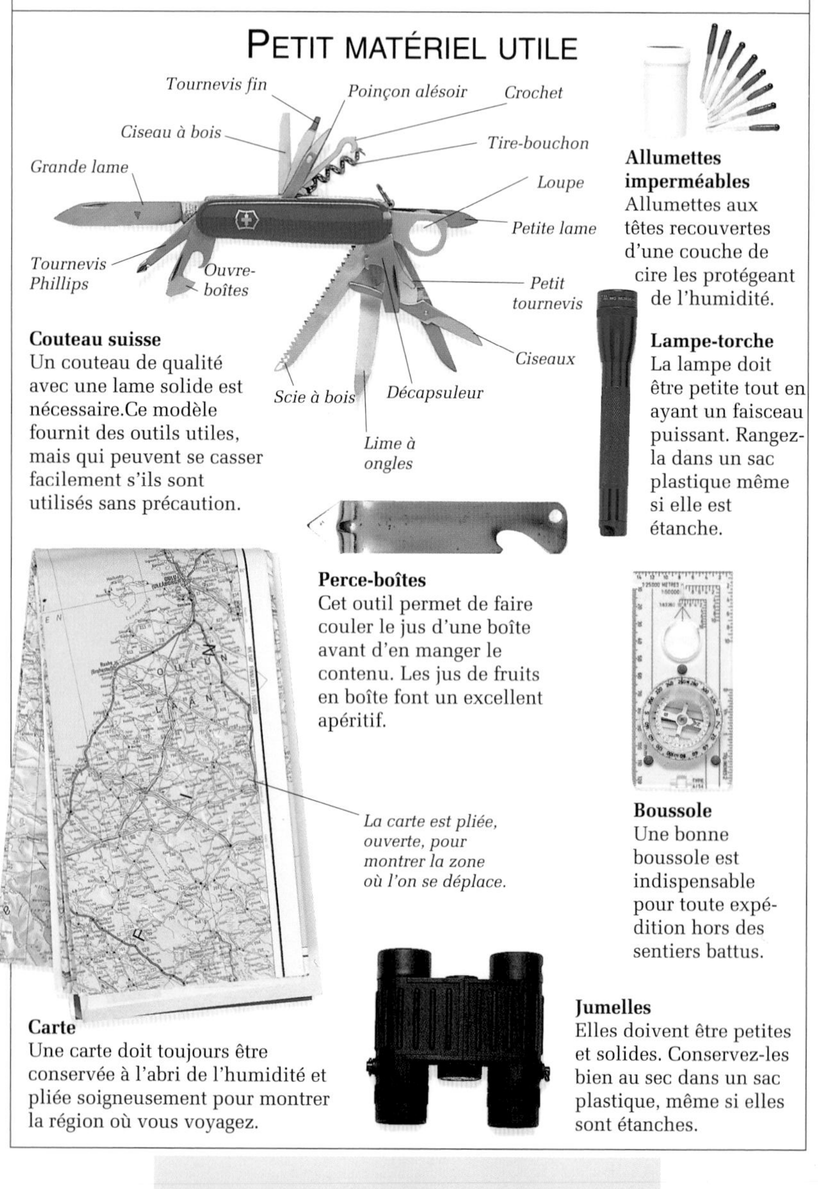

Allumettes imperméables
Allumettes aux têtes recouvertes d'une couche de cire les protégeant de l'humidité.

Couteau suisse
Un couteau de qualité avec une lame solide est nécessaire.Ce modèle fournit des outils utiles, mais qui peuvent se casser facilement s'ils sont utilisés sans précaution.

Lampe-torche
La lampe doit être petite tout en ayant un faisceau puissant. Rangez-la dans un sac plastique même si elle est étanche.

Perce-boîtes
Cet outil permet de faire couler le jus d'une boîte avant d'en manger le contenu. Les jus de fruits en boîte font un excellent apéritif.

Boussole
Une bonne boussole est indispensable pour toute expédition hors des sentiers battus.

Carte
Une carte doit toujours être conservée à l'abri de l'humidité et pliée soigneusement pour montrer la région où vous voyagez.

Jumelles
Elles doivent être petites et solides. Conservez-les bien au sec dans un sac plastique, même si elles sont étanches.

Nécessaire de toilette

Une bonne hygiène corporelle est importante dans les contrées sauvages. Il faut se laver pour que les coupures et plaies ne s'infectent. Un shampoing traitant vous protégera de toute invasion de poux ou autres parasites.

COUPE-ONGLES

BROSSE À ONGLES

SAVON ET PORTE-SAVON

MIROIR MÉTALLIQUE

BAUME POUR LES LÈVRES

RASOIR

CRÈME HYDRATANTE

La serviette peut être découpée en bandes anti-transpiration ou servir de « couche » additionnelle contre le froid.

DENTIFRICE

SHAMPOING TRAITANT

PEIGNE

BROSSE À DENTS

SERVIETTE DE TOILETTE

La fermeture éclair protège le contenu de la trousse de la poussière et des insectes.

GANT DE TOILETTE

TROUSSE DE TOILETTE

Premiers soins

Soyez paré contre les risques spécifiques à votre destination : dans la jungle, des plantes acérées peuvent infliger des coupures cruelles ; certaines trousses à pharmacie, pour les raids dans la jungle, contiennent une poudre antibiotique réservée à cet usage.

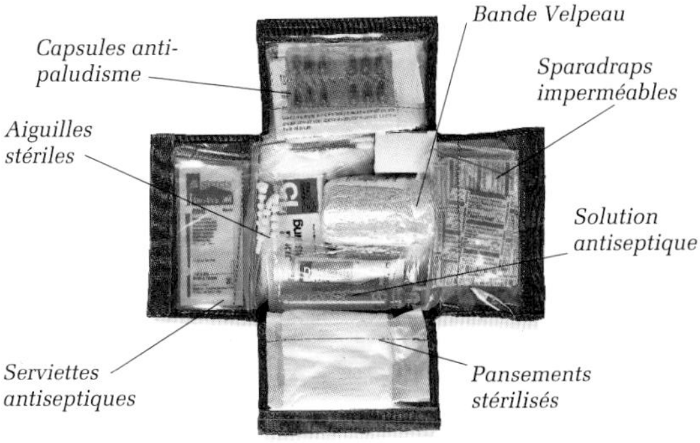

Bande Velpeau

Capsules anti-paludisme

Sparadraps imperméables

Aiguilles stériles

Solution antiseptique

Serviettes antiseptiques

Pansements stérilisés

PHARMACIE POUR LA JUNGLE

NÉCESSAIRE DE SURVIE

LE NÉCESSAIRE DE SURVIE d'un grand randonneur contient de simples accessoires de base qui peuvent s'avérer vitaux et qui, pour cela, ne doivent être utilisés qu'en cas d'urgence. Vous devez également emporter les accessoires ci-dessous qui doivent tenir dans une seule et même boîte. Sans oublier toutefois, qu'une carte de crédit n'est pas encombrant et peut-être utile.

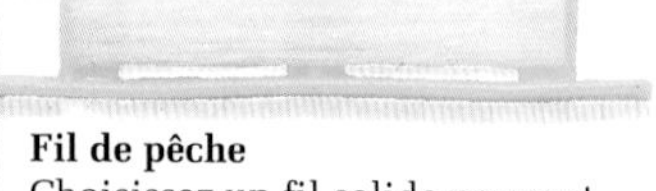

Fil de pêche
Choisissez un fil solide pouvant servir pour la pêche et la fabrication d'outils.

Hameçons et plombs
Emportez un grand nombre d'hameçons, de plombs fendus et quelques bouchons. Un petit hameçon peut prendre les gros poissons comme les petits.

Lames de scalpel
Conservez ces lames à usages multiples dans leur emballage paraffiné d'origine.

Conservez le fil enduit de graisse (contre la rouille) dans un sac plastique.

Fil à scier
Un fil à scier permet de découper presque tous les matériaux.

Crayon
Indispensable pour écrire votre journal, tracer une carte ou prendre des notes.

Épingles de nourrice
Elles peuvent servir à réparer provisoirement votre sac de couchage ou votre tente.

Fil de cuivre
Le fil doit se plier facilement sans se rompre.

Réflecteur
En regardant par le trou de ce réflecteur, vous pouvez, diriger les rayons solaires pour être repéré.

Permanganate de potassium
Avec ces cristaux, il est possible de stériliser l'eau.

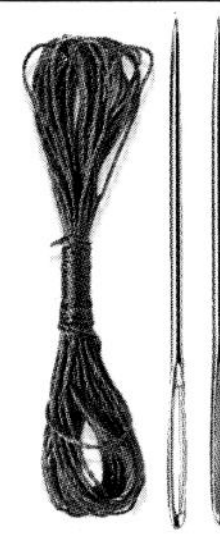

Fil, aiguilles et boutons
Emportez des aiguilles à gros chas, du fil imperméable et de gros boutons ; les mettre dans un sac plastique. Les boutons serviront à fixer des rabats de tente ou à remplacer des boutons arrachés.

Sel
Le sel nécessaires à votre corps s'épuise vite, par l'urine ou par la transpiration. Ajoutez une pincée de sel à chaque pose, vous éviterez ces crampes.

Sac plastique
Ce type de sac peut servir à transporter de l'eau d'un ruisseau ou comme capuche

Sparadraps
Ils empêchent les écorchures de s'infecter ou servent à protéger les ampoules aux pieds jusqu'à cicatrisation.

Boussole ronde
Un modèle à cadran luminescent est préférable.

Comprimés antibiotiques
Ne les utilisez qu'en cas d'urgence.

Purificateurs d'eau
A garder précieusement pour l'eau à consommer en cas d'urgence.

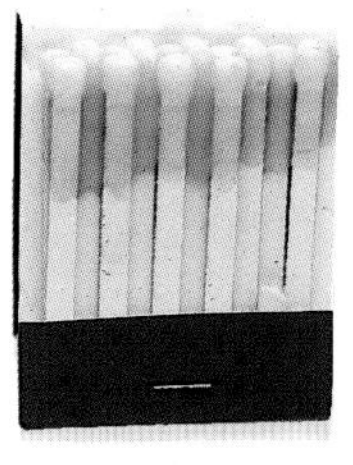

Loupe
Avec cette loupe, vous pourrez allumer un feu en focalisant les rayons solaires sur des brindilles sèches. Quand le feu couve, ajoutez des bouts de bois un peu plus gros jusqu'à ce qu'ils s'enflamment.

Bougie
À utiliser plutôt pour allumer vos feux de bois que pour l'éclairage.

Allumettes
Allumettes imperméabilisées avec de la cire. Grattez la cire avant utilisation.

Boîte de rangement
Rangez le nécessaire de survie dans une petite boîte en métal avec un couvercle. Scellez hermétiquement la boîte avec du chatterton pour garder son contenu au sec. Placez toujours la boîte au même endroit de sorte que vous arriviez à vérifier instinctivement sa présence. Identifiez distinctement la boîte.

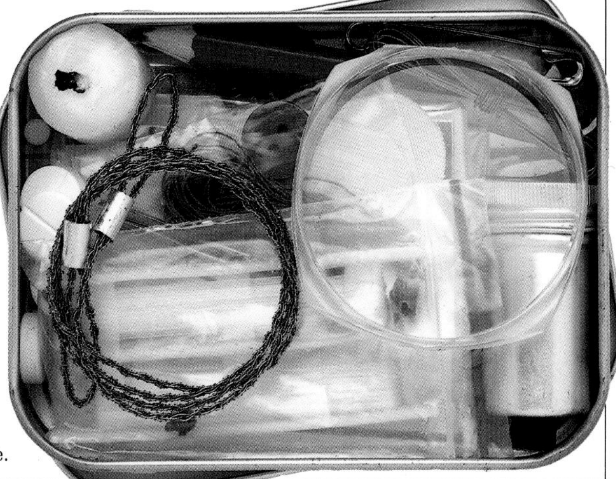

Les réparations

Réparer immédiatement tout matériel endommagé - un point qui n'est pas cousu à temps peut en nécessiter dix autres, plus tard. Avant de partir, vérifiez que votre matériel, même les articles neufs, ne présente aucun défaut, tels que des effilochages ou des coutures trop lâches qui seraient à finir et à renforcer. Aiguisez vos outils coupants car toute lame émoussée est dangereuse.

Nécessaire de couture

Pour tout voyage, il faut emporter un nécessaire de couture. Au cours de vos expéditions, certains problèmes peuvent être résolus avec de la ficelle ou du ruban adhésif. Gardez vos aiguilles bien au sec.

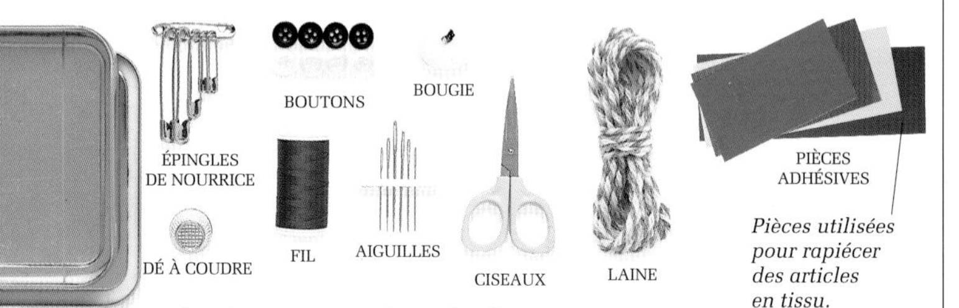

Pièces utilisées pour rapiécer des articles en tissu.

BOÎTE

Placez tout votre nécessaire de couture dans une boîte en métal avec un couvercle qui ferme bien.

Regroupez votre nécessaire de couture
Ajoutez un dé à coudre pour enfoncer les aiguilles dans des matières dures. Prévoyez une grande aiguille à repriser pour les chaussettes, et d'autres aiguilles avec un gros chas. Prenez du fil à coudre épais, noir ou blanc, pour qu'il soit bien visible. Cirez le fil en le frottant sur une bougie pour le renforcer et l'imperméabiliser.

Réparer un matelas pneumatique

Plié, un matelas gonflable est moins encombrant qu'un matelas de mousse, mais il suffit d'un trou pour le rendre inutilisable. Il est recommandé d'emporter une trousse anti-crevaison pour des réparations immédiates.

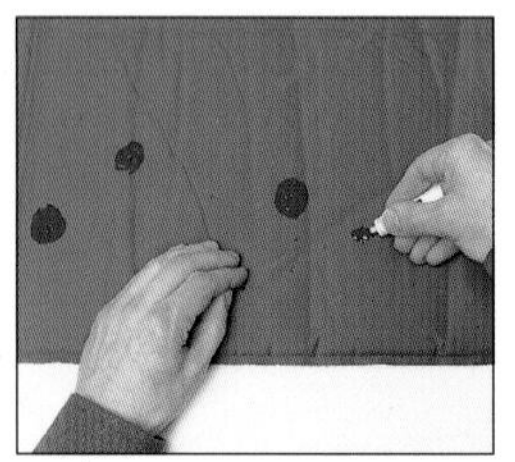

1 Étalez de la dissolution de caoutchouc autour de chaque trou, en recouvrant une zone légèrement plus grande que la rustine que vous comptez coller. Laissez sécher la colle.

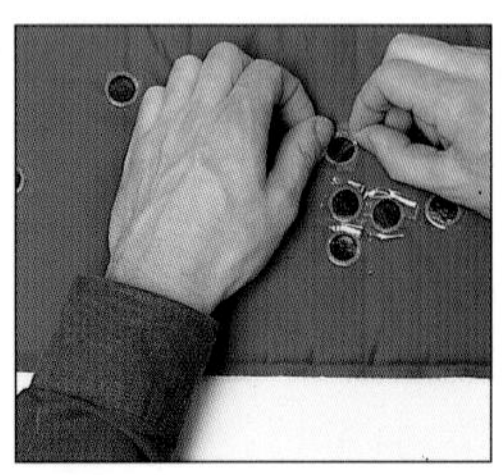

2 Appuyez fermement les rustines contre la colle séchée. Si elles ne collent pas instantanément, essayez à nouveau, en laissant la colle sécher un peu plus longtemps.

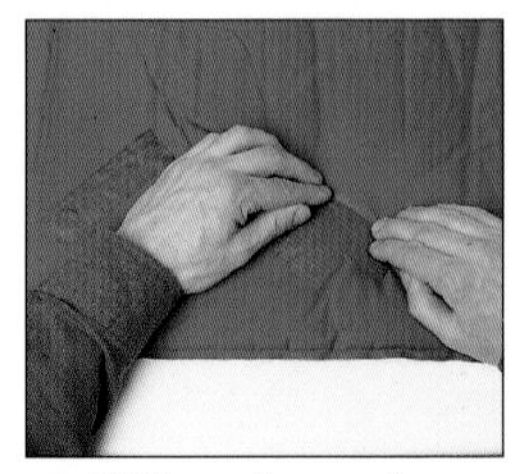

3 Utilisez de grandes pièces adhésives découpées dans un matériau résistant pour recouvrir les rustines d'une protection commune. Appuyez fermement sur les pièces.

Outils tranchants

Un canif est un accessoire vital, tout autant qu'une lame plus grande ; il peut remplir différentes fonctions.

Renseignez-vous sur les lois de chaque pays régissant le port des couteaux.

Kukri
Des variantes du kukri, utilisé à l'origine par les fantassins Gurkhas du Népal, sont en vente un peu partout dans le monde. Le kukri sert d'outil tranchant à tout faire et permet d'effectuer aisément des travaux de coupe de bois qui ne seraient pas possibles avec la plupart des couteaux de camping. Gardez-le dans sa gaine de cuir pour ne pas vous blesser.

Réparez rapidement tout dommage subi par la poignée en bois.

Le dos de la lame n'est pas tranchant et peut servir de marteau.

Le milieu du tranchant, moins affûté que la pointe, est utilisé pour les gros travaux de taille.

La courbe intérieure très aiguisée est utilisée pour la sculpture et autres travaux délicats.

La pointe de la lame est particulièrement aiguisée et sert pour les travaux de coupe.

Canif
Un canif à la lame robuste, et bien affutée, est indispensable pour toutes sortes de petits travaux. Gardez-le en permanence sur vous, attaché par un cordon, à la ceinture ou autour du cou.

Pour éviter que la lame dentelée ne rouille, nettoyer soigneusement la scie après avoir coupé du bois vert.

Fil à scier
Outil important de votre nécessaire de survie, le fil à scier est composé de brins d'acier toronnés et de deux boucles en guise de poignées. C'est un outil fragile qui doit être utilisé avec prudence.

Aiguisage d'un couteau

1 Mouillez la pierre à aiguiser avec de l'eau. Passez la lame sur la pierre, en poussant vers l'extérieur et en frottant la lame du dos vers le tranchant.

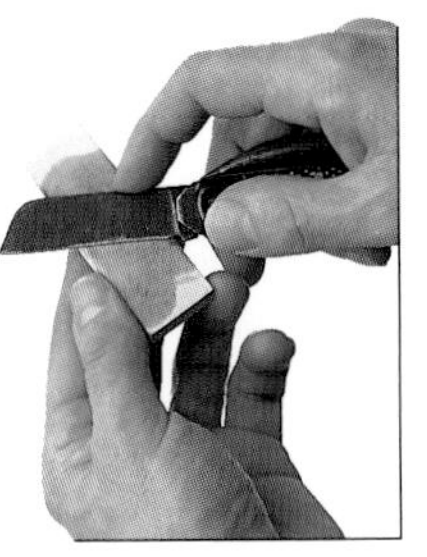

2 Après avoir aiguisé le couteau d'un côté, passez le doigt sur la lame pour sentir le morfil. Attention de ne pas appuyer trop fort sur la lame pour ne pas vous couper.

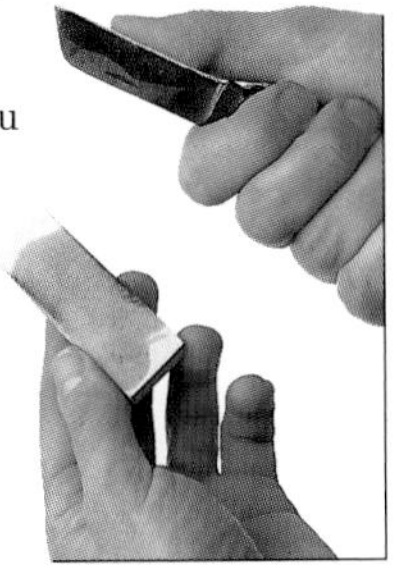

3 Aiguisez l'autre côté de la lame, en supprimant le morfil pour redresser le tranchant de la lame. Mouillez encore la pierre si nécessaire.

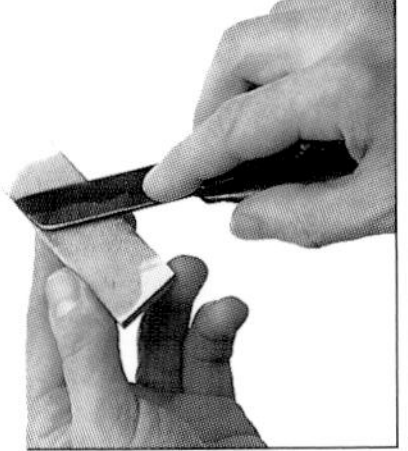

4 Repassez la lame sur une ceinture en cuir du haut vers le bas, afin d'affiler la lame et d'en renforcer le fil.

LES DERNIERS PRÉPARATIFS

LE CONFORT EN PLEINE NATURE résulte plus d'une bonne organisation et de votre capacité à être autonome que du matériel dernier cri dont vous disposez. Chaque article de votre équipement doit être à portée de votre main ; vous devez être en mesure de procéder vous-même aux réparations qui s'imposent, ce qui veut dire que vous devez emporter un nécessaire de réparation.

PRÉPARATION DE L'ÉQUIPEMENT

Tous les petits ajustements et réglages que vous ferez, chez vous avant de partir, vous faciliteront grandement la vie quand vous serez en route. Demandez à d'autres randonneurs comment ils s'organisent.

Gants
Reliez les deux gants avec un long cordon afin de ne pas risquer d'en perdre un.

Fermetures éclair
Par très mauvais temps, les fermetures éclair sont parfois difficiles à attraper. Attachez un petit bout de cordon dans le chas de la fermeture éclair et faites un nœud au bout.

Élastiques
Enfilez quelques élastiques autour de votre sangle ventrale ils pourront être utiles.

Chatterton
Collez du chatterton à l'intérieur de votre sac, vous pourrez l'utiliser pour certaines réparations.

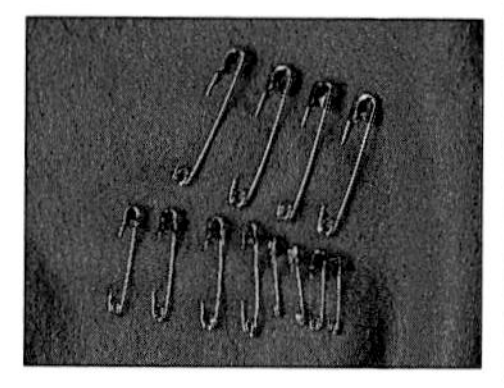

Épingles de nourrice
Accrochez des épingles de nourrice à l'intérieur de votre veste, à l'abri de l'humidité.

LAÇAGE DES CHAUSSURES

Les chaussures lacées en enfilant une seule extrémité du lacet dans tous les oeillets et anneaux de la chaussure sont plus faciles à serrer et à enlever.

1 Faites un nœud à une extrémité du lacet. Enfilez-le dans un trou du bas, de sorte que le nœud reste à l'extérieur.

2 Enfilez le lacet jusqu'au dernier trou, puis passez le lacet autour de la tige de la chaussure. Si elles ont des œillets, sautez-en un.

3 Faites passer l'extrémité du lacet sous la boucle ; avec des chaussures à œillets, passez la boucle dans l'oeillet libre.

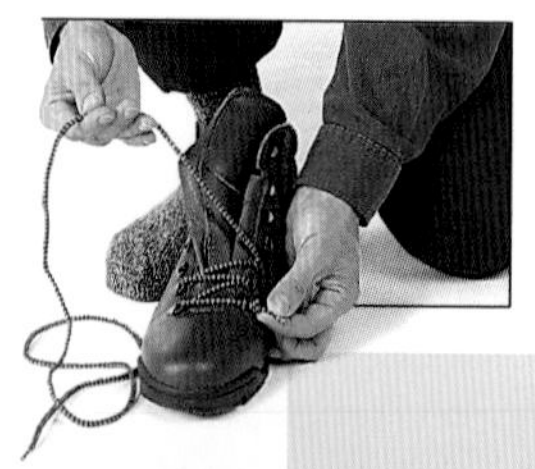

TRANSPORT DU SAC À DOS

Les bretelles, boucles et crochets d'un sac à dos peuvent s'abîmer au cours d'un voyage en avion.

Placez votre sac à dos dans un grand sac léger et résistant pour le protéger.

1 Placez le sac à dos dans un sac de voyage léger et résistant, bretelles tournées vers le haut pour l'en extraire plus rapidement.

2 Fermez le sac et attachez-le, en serrant bien avec une sangle, pour en faire un bagage plus rigide et facile à attraper pour les manutentionnaires. Quand le sac est soulevé par les poignées, le sac à dos doit reposer à plat à l'intérieur.

ÉLASTIQUES POUR CHAUSSURES

Quand le bas de votre pantalon est trempé, il mouille vos chaussettes, vos jambes et vos pieds.

Serrer le bas du pantalon avec des élastiques pour que le pantalon ne traîne pas trop bas.

1 Trouvez deux élastiques que vous pourrez enfiler autour de chaque cheville.

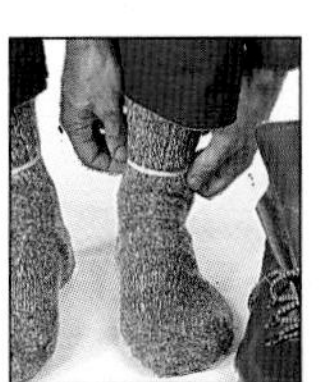

2 Mettez vos chaussettes de marche et enfilez une bande élastique sur chacune des chaussettes.

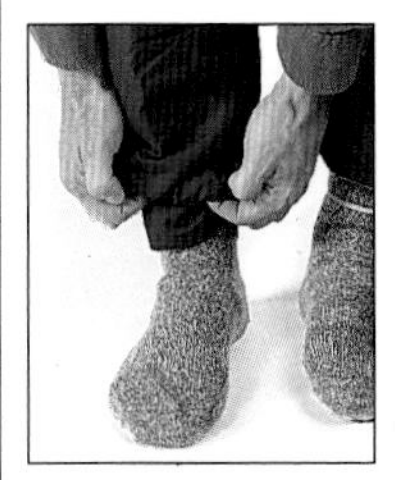

3 Remontez le bas du pantalon audessus des élastiques et glissez le tissu sous les élastiques. Vous venez d'improviser un pantalon à bords élastiqués.

4 Ajustez la longueur du pantalon, jusqu'à ce que le bas touchele haut des chaussures.

4 Rentrez l'extrémité du lacet dans la boucle pour faire un nœud, puis tirez légèrement le lacet en arrière contre le crochet ou l'anneau de la chaussure.

5 Un simple nœud suffit, mais si vous voulez être sûr que la chaussure est bien attachée, faites un autre nœud et serrez à nouveau le lacet.

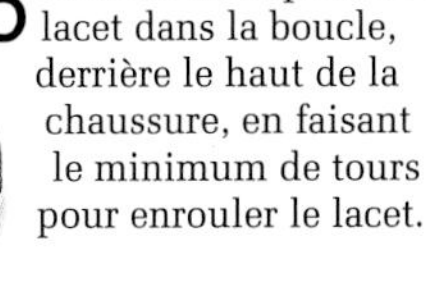

6 Rentrez le surplus de lacet dans la boucle, derrière le haut de la chaussure, en faisant le minimum de tours pour enrouler le lacet.

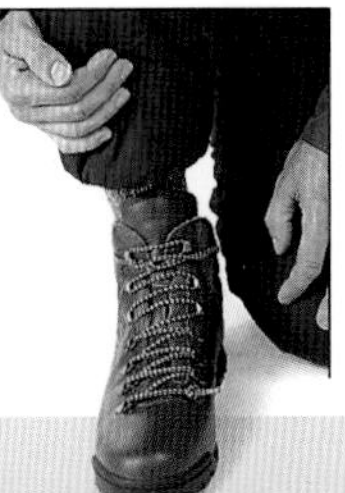

7 Le lacet enroulé autour du haut de la chaussure renforce la cheville ; mais attention que'il ne coupe pas la circulation du sang.

3

EN ROUTE

PARTIR EN RANDONNÉE, c'est quitter le stress de la vie urbaine pour mener une existence simple et nomade. C'est suivre une piste qui peut aller du sentier balisé au chemin que l'on se trace à l'aide d'une carte et d'une boussole, pour traverser un terrain inconnu et peut-être dangereux. C'est partir en groupe, ou bien tout seul si l'on préfère à toute compagnie celle de la nature. Quel que soit votre choix, ce sera de toutes façons une expérience personnelle mémorable, excitante et stimulante.

CONNAÎTRE LA NATURE

LA RANDONNÉE EN PLEINE NATURE offre aux citadins le dépaysement le plus complet qui soit. La notion du temps change absolument puisqu'elle est désormais rythmée par le lever et le coucher du soleil. Profitez au maximum de la nature en vous levant à l'aube, puis laissez la journée se dérouler simplement.

JOURNAL

Se souvenir de ses impressions est aussi important que de prendre des photos. Tenir un journal vous fera prendre conscience de l'influence de votre expérience sur vos préjugés. Notez chaque jour vos pensées, vous serez surpris de constater la façon dont vous avez évolué.

Enveloppes en papier avion pré-timbrées.

Cartes postales pré-timbrées.

Bloc de papier.

Étui à papier
Rangez au même endroit le papier dont vous aurez besoin pour écrire votre journal et votre courrier.

Crayon à mine moyenne préférable au stylo à bille en altitude ou sous les climats tropicaux.

OBSERVER LES ÉTOILES

Loin de la tyrannie des lumières électriques, vous serez, comme nos ancêtres, fasciné par les étoiles. Une nuit sans lune, à l'écart des habitations et sans pollution atmosphérique, est idéale pour les observer. Servez-vous d'un guide des étoiles pour choisir à l'avance celles que vous souhaitez regarder car il faut en général attendre une bonne demi-heure avant d'adapter sa vue à l'obscurité et, sans guide, pour vous repérer, vous risquez de vous égarer dans le ciel. Consultez-le en vous éclairant à l'aide d'une torche à la lumière assez faible occultée par un filtre rouge, et en ne regardant que d'un oeil : la réadaptation à la vision nocturne sera ainsi plus rapide.

Observer la faune

C'est à l'aube, lorsqu'ils se réveillent, et au crépuscule qu'on observe le mieux les animaux. Déplacez-vous lentement, sans bruit, installez-vous dans un endroit contre le vent et attendez patiemment.

Les sources
Les animaux sont attirés de très loin par l'eau, surtout en fin d'après-midi. Toutes sortes d'espèces différentes se mélangent alors autour des points d'eau, offrant une occasion unique de les observer et de les photographier. Éloignez-vous des chemins qu'il empruntent et méfiez-vous des prédateurs dangereux pour l'homme.

Les nids
Ne touchez pas aux nids ou autres habitats des animaux qui risquent d'abandonner leurs petits, ou de vous attaquer.

Signes de passages
Vous remarquerez à certains indices le passage d'animaux : des arbres décortiqués, révèlent la présence d'éléphants.

Traces d'animaux

Le pistage apporte des informations intéressantes. Commencez par observer les traces laissées dans la boue autour des trous d'eau.

Hippopotame
L'hippopotame laisse des traces parallèles, rapprochées et profondes.

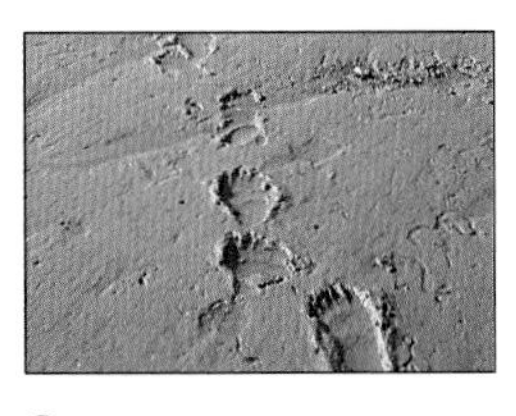

Ours
Les traces de l'ours donnent une idée, de sa taille et de sa démarche.

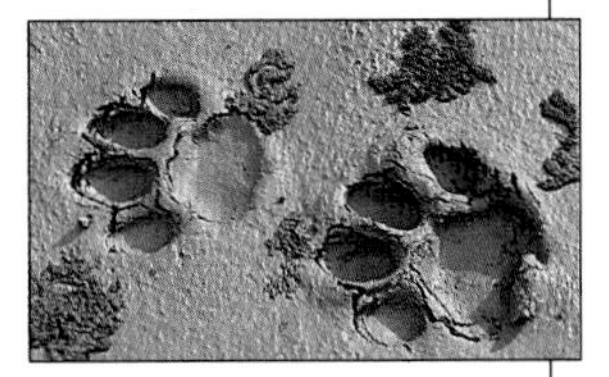

Jaguar
Larges et grosses, les pattes du jaguar sont conçues pour courir vite.

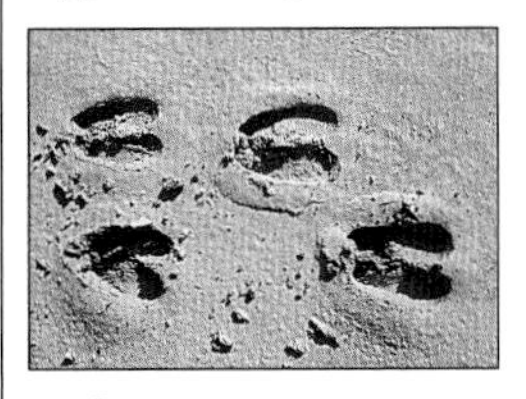

Cerf
L'examen des excréments vous aidera à identifier l'espèce.

Raton-laveur
Vivant dans les arbres, le raton-laveur laisse peu de traces sur le sol.

Lièvre
On reconnaît aisément les pattes postérieures du lièvre.

Le départ

Vous vous êtes soigneusement préparé, ne commettez pas l'erreur de perdre tout le bénéfice de cette préparation en voulant en faire trop dès le premier jour. Commencez doucement, à votre rythme. Prenez le temps de déguster un bon petit déjeuner et n'attendez pas que la nuit tombe pour choisir le site de votre premier campement.

La marche

De même qu'une paire de chaussures a besoin d'être « faite » pour ne pas blesser les pieds, un randonneur a besoin de connaître quelques « trucs » qui rendront sa marche plus aisée et moins fatigante.

Monter
Penchez-vous en avant et progressez par petits pas en plaçant votre pied bien à plat sur le sol avant de vous propulser en avant. Ne marchez pas sur la pointe des pieds.

Descendre
Avancez par petits pas bien appuyés sur le sol en vous penchant légèrement en arrière pour soulager vos genoux. Si vous marchez avec un bâton, ils se fatigueront moins.

Pentes raides
En cas de pente très raide, ou à surface instable, grimpez en plaçant vos pieds perpendiculairement à la pente. Vous pouvez prendre appui sur votre bâton posé en aval.

Pauses

Observez une première pause au bout de dix minutes de marche. Profitez-en pour ajuster votre matériel et vérifier votre direction. Ensuite, arrêtez-vous dix minutes toutes les cinquante minutes. S'il fait froid, enfilez un vêtement chaud et couvrez-vous la tête d'un chapeau. Utilisez votre sac en guise de dossier, relaxez-vous, mangez un morceau et regardez autour de vous.

Marcher en groupe

Lorsqu'un groupe part en randonnée, il lui faut un chef et un second. Quoi qu'il arrive, le groupe doit rester uni. Lorsque le groupe est important, le chef peut éventuellement envoyer un éclaireur en reconnaissance afin de choisir l'itinéraire le plus adapté. Le second doit être un bon marcheur : il ferme la marche et vérifie que personne n'a été laissé à la traîne.

Derrière, le second s'assure que tout le monde est là. Si la cadence est trop rapide pour certains, il demande au chef de ralentir.

En tête, le chef entraîne tout le monde et décide de la route à suivre en cas de doute.

L'éclaireur devance le reste du groupe et cherche la voie la plus intéressante s'il y a plusieurs possibilités.

La bâton de marche

Un bon bâton est une aide précieuse lors des longues marches. Il peut servir à soutenir votre sac à dos pendant une halte debout, assurer un appareil photo, éloigner un chien agressif...

1 Coupez proprement une belle branche droite et solide d'environ 1,20 m de long, terminée par une fourche.

2 Pour obtenir une poignée confortable, conservez l'embranchement le plus gros de la fourche que vous couperez à environ 20 cm.

3 Une jeune branche est pleine de sève, surtout au printemps. Le bâton sèchera vite si vous le débarrassez entièrement de son écorce, plus lentement si vous la laissez.

Égalisez la surface du bâton avec votre couteau afin de la rendre plus lisse.

4 Lissez le bâton. Ôtez surtout les aspérités qui pourraient vous blesser les mains. La plupart des gens aiment marcher avec un bâton qui leur arrive à la hauteur de la taille. Mais vous préférerez peut-être en avoir un plus grand.

FACE AUX DIFFICULTÉS

PARTIR EN RANDONNÉE, c'est aussi courir le risque de s'exposer à des obstacles naturels tels que le mauvais temps ou un terrain accidenté. Loin de la civilisation, l'occasion vous est offerte de résoudre les problèmes par vos propres moyens - et de savourer le sentiment d'indépendance qui en résultera.

VENTS FROIDS

Les vents froids peuvent faire chuter rapidement la température et apporter avec eux une pluie soudaine. Les vents forts pénètrent à travers les vêtements et provoquent une nette déperdition de chaleur.

Combattre le froid
Protégez-vous toujours la tête et la nuque afin d'éviter de vous refroidir par là. Si vous vous reposez par un vent froid, enfilez immédiatement des vêtements chauds et imperméables : n'attendez surtout pas d'avoir froid. Asseyez-vous sur votre sac en vous tassant sur vous-même, les mains dans les poches : votre corps conservera sa température initiale.

Rabattez votre capuche sur votre bonnet et serrez-la au maximum afin de conserver la chaleur.

Asseyez-vous à l'abri du vent, ou dos au vent, la tête dans les épaules.

Enfoncez les mains dans vos poches pour les tenir au chaud et à l'abri de la pluie.

Votre sac à dos vous isolera du sol.

Le facteur vent
Une masse d'air froid en mouvement augmente l'effet du froid (voir le tableau ci-dessous). On appelle ce phénomène le « facteur vent ». Si vous êtes mouillé, le froid sera encore plus pénible car c'est la chaleur du corps qui accélère l'évaporation de l'humidité de votre vêtement.

EFFET REFROIDISSANT DU VENT

VITESSE	TEMPÉRATURE (°C)									
Calme	-7	-12	-18	-23	-29	-31	-34	-37	-40	-43
	TEMPÉRATURE ÉQUIVALENTE SOUS L'EFFET DU VENT (°C)									
6 km/h	-9	-15	-20	-26	-32	-34	-37	-40	-43	-45
17 km/h	-15	-23	-29	-37	-43	-45	-51	-54	-57	-59
25 km/h	-20	-29	-34	-43	-51	-54	-57	-62	-65	-68
34 km/h	-23	-32	-37	-45	-54	-59	-62	-65	-70	-73
42 km/h	-26	-34	-43	-51	-59	-62	-68	-70	-76	-79
51 km/h	-29	-34	-45	-54	-62	-65	-70	-73	-79	-82
60 km/h	-29	-37	-45	-54	-62	-68	-73	-76	-82	-84
68 km/h	-29	-37	-48	-57	-65	-70	-73	-79	-82	-87

- *Conditions très désagréables : vêtements très isolants nécessaires.*
- *La peau commence à geler après une exposition prolongée à l'air.*
- *Tout déplacement à l'extérieur est dangereux : la peau gèle en une minute.*
- *Exposée à l'air, la peau gèle en moins de 30 secondes.*

Terrains difficiles

Il est conseillé d'éviter les terrains dangereux. Cependant il arrive parfois qu'on n'ait pas le choix. La sécurité doit être votre souci principal, même si votre cadence en est considérablement ralentie.

Blocs erratiques
Si, chargé d'un sac à dos, vous tombez au milieu de ces roches instables, vous risquez de vous casser une jambe. Avancez très lentement en assurant chacun de vos pas.

Éboulis
Escaladez les pentes d'éboulis en avançant sur le côté et en vous aidant d'un bâton. Les descentes d'éboulis sont assez amusantes : faites de grandes enjambées en prenant garde de ne pas tomber.

Sols mouvants

Fondrières et marécages se rencontrent n'importe où, même sur des pentes, au sommet des collines. Contournez-les largement lorsqu'ils sont indiqués sur une carte. Sur les landes, méfiez-vous des endroits subitement marécageux.

Traverser une fondrière
Avancez doucement pas à pas en recherchant les grosses touffes d'herbe. Suivez les traces de ceux qui vous ont précédé : leurs erreurs vous seront profitables. Testez le sol devant vous à l'aide d'un bâton et soyez toujours prêt à éviter d'un saut léger la moindre tache suspecte.

1 Si vous tombez dans une fondrière, ne tentez pas de soulever un pied, vous vous enfonceriez davantage. Essayez de répartir votre poids le plus également possible avant de faire un mouvement.

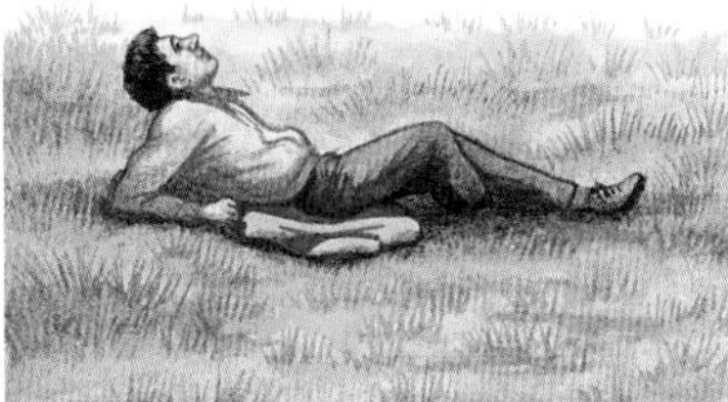

2 Faites reposer votre sac à dos sur le terrain qui vous paraît le plus stable. Penchez-vous en arrière et, prenant appui sur votre sac, retirez vos jambes de la boue, une à une.

3 Si vous pouvez amener votre sac devant vous, essayez de sortir du trou en « nageant ». Si vous ne parvenez pas à sortir, gardez votre calme et attendez que l'on vous aide.

Cordages et nœuds

Il est prudent de se munir d'une corde qui peut se révéler utile à tout moment. Une corde épaisse en fibres naturelles, d'au moins 3 cm de diamètre, vous assurera, pour grimper, une meilleure prise qu'une corde fine qui, en revanche sera plus facile à nouer. Testez les nœuds en vous suspendant de tout votre poids afin de vérifier leur efficacité.

Le choix des cordes

Il existe soit du cordage câblé traditionnel soit du cordage tressé. Les fibres naturelles résistent mieux à la chaleur que les fibres synthétiques mais risquent de pourrir. Vérifiez le bon état de la corde avant de l'acheter.

Les trois torons de fibres sont tordus entre eux.

Cordage câblé traditionnel
Très résistant, le cordage câblé traditionnel se compose de trois torons de fils tordus entre eux. On en trouve en sisal, en fibre de coco, en chanvre ou en nylon.

Les cordelettes câblées sont constituées de filaments de nylon toronnés.

Cordage tressé
Le cordage tressé se compose d'une âme de torons fins tressés entre eux puis recouverts d'une gaine résistante.

Jonction de deux cordes

Si vous avez besoin de joindre deux cordes bout à bout afin d'en obtenir une grande longueur, utilisez le noeud de pêcheur qui est absolument sûr. Attachez les bouts libres pour plus de sécurité.

1 Enroulez le bout de la corde A autour de l'extrémité de la corde B en laissant assez de longueur libre à chaque corde.

2 Faites faire un second tour à la corde A dont vous enfilerez le bout libre à l'intérieur des deux boucles ainsi formées.

3 Serrez le nœud. Puis répétez la même opération en enroulant cette fois, en sens inverse, la corde B autour de la corde A afin d'obtenir un deuxième nœud.

4 Tirez en même temps sur la corde A et la corde B : les nœuds se rapprocheront l'un de l'autre. Si le nœud est fait bien, les bouts libres doivent ressortir de chaque côté.

ENROULER UNE CORDE

1 Défaites tous les noeuds de la corde et secouez-la pour voir dans quel sens elle s'enroule naturellement. Commencez à former des cercles sur le sol.

Chaque cercle a un diamètre d'environ 50 cm.

2 Continuez à l'enrouler en formant des cercles de taille égale en les bloquant avec votre pied. Si le sol est sale, tenez le rouleau à la main.

3 Lorsqu'il reste environ l'équivalent d'un tour, formez avec l'extrémité déjà enroulée une boucle d'environ 30 cm de long.

4 Entourez plusieurs fois le rouleau avec la longueur de corde restante en laissant libre le bout de la boucle.

5 Gardez ensuite environ 10 cm de corde et 3 cm de boucle pour faire le nœud d'attache de la corde.

6 Passez le bout de la corde dans la boucle et tirez fortement. Cette attache servira de « poignée » pour porter le rouleau.

7 Tirez sur le courant de la boucle pour ramener celle-ci sous l'attache et la bloquer.

RÉPARER LE BOUT D'UNE CORDE SYNTHÉTIQUE

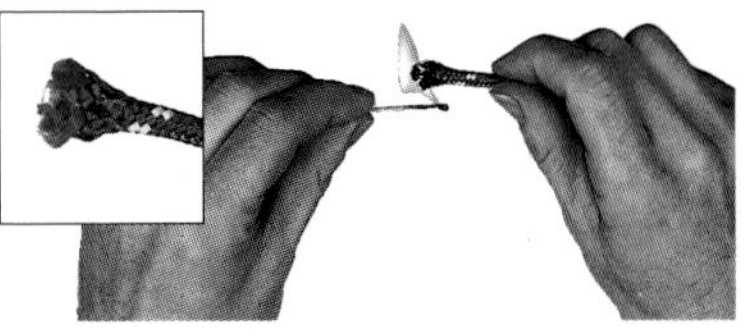

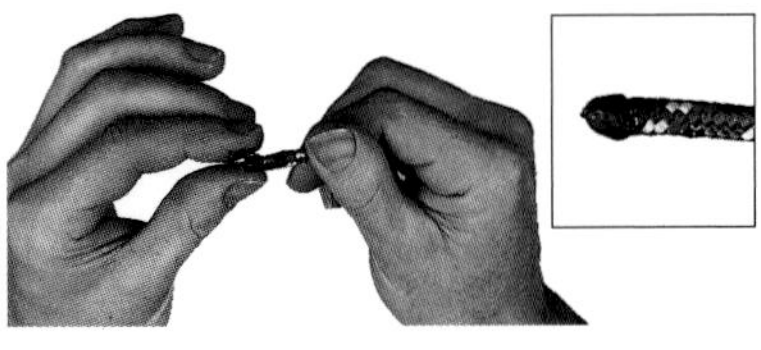

1 À l'aide d'une allumette, brûlez les extrémités des fibres jusqu'à ce qu'elles se mélangent en fondant. (On répare les fibres naturelles en les ligaturant avec du fil.)

2 Soufflez sur la flamme pour l'éteindre, puis humectez vos doigts (pour éviter de vous brûler) et pressez rapidement le bout brûlé de façon à le réduire à un cylindre de la taille de la corde.

NŒUD DE CHAISE

Le nœud de chaise est un nœud extrêmement sûr qu'on utilise pour les lignes de sauvetage car il ne peut en aucun cas glisser ni se relâcher. L'histoire du lapin, de l'arbre et du trou (voir ci-dessous) est un bon truc pour se souvenir de la façon dont on doit le faire.

1 Formez une boucle dans laquelle vous allez passer le bout libre, ou courant, de la corde : « le lapin sort du trou ».

2 Passez le bout libre derrière la corde, ou dormant, avant de la faire repasser dans la boucle : « le lapin fait le tour de l'arbre puis retourne dans le trou ».

Tirez des deux mains pour serrer le nœud.

3 Tirez les deux côtés de la corde pour serrer le nœud. Il est très utile de connaître le nœud de chaise, ainsi que le nœud en huit (voir ci-dessous).

NŒUD EN HUIT

Ce noeud peut se faire sur une corde doublée. Il ne risque ni de glisser ni de se relâcher et se défait pourtant très facilement. On l'utilise beaucoup pour former des boucles permettant d'accrocher différents objets.

1 Formez d'abord une petite boucle à environ 60 cm de l'extrémité de la corde.

2 Passez le courant par-dessus le dormant et à travers la boucle afin de former un huit.

3 Tirez les deux bouts pour serrer. Vous obtenez un demi-nœud que vous pouvez laissez ainsi à l'extrémité de votre corde pour le cas où vous auriez besoin d'une boucle.

4 Pour former la boucle, passez le courant autour de l'objet que vous voulez attacher, puis faites-le repasser à travers le demi-nœud.

5 Glissez ensuite le courant autour du nœud avant de le ramener dans la boucle de départ. Le noeud en huit est terminé.

6 Tirez fortement sur la boucle et le dormant. Extrêmement sûr et pratique, ce nœud s'emploie beaucoup en varappe.

S'ENCORDER

En montagne, un grimpeur qui tombe peut toujours être sauvé s'il est encordé. Celui qui se trouve en tête de cordée doit toujours assurer sa position afin de ne pas être entraîné lui aussi dans la chute.

Gardez toujours trois points de contact avec la paroi.

1 Portez le rouleau de corde sur l'épaule et cherchez un bon point d'assurance.

2 Attachez une extrémité de la corde autour de votre taille à l'aide du nœud en huit. Gardez plusieurs mètres de cordage libre afin de vous assurer en amont.

3 Formez une boucle avec un nœud en huit et fixez-la au point d'assurance. Ce point doit être assez solide pour vous soutenir, vous et votre compagnon, même en cas de chute de ce dernier.

4 Faites descendre la corde maintenant fixée au point d'assurance. Votre compagnon va lui aussi s'attacher la corde autour de la taille en utilisant un nœud en huit.

5 Tirez sur la corde pour sentir le poids de votre compagnon. Dès qu'il commence à grimper (en vous prévenant), continuez à tendre la corde. S'il veut s'éloigner de la voie, il vous réclamera « du mou » et vous détendrez la corde. Retenez votre compagnon jusqu'à ce qu'il soit lui-même assuré indépendamment de vous.

L'extrémité de la corde (attachée autour de votre taille) vous relie au point d'assurance.

Corde fixée au point d'assurance.

Corde de votre compagnon enroulée autour de votre taille.

ASSURER LA CHUTE

En cas de chute de votre compagnon de cordée, ancrez fermement vos pieds sur le sol et penchez-vous en arrière en ramenant contre vous la main qui contrôle la corde. Évitez d'exercer une traction sur le point d'assurance. Faites redescendre votre compagnon jusqu'à un endroit d'où il pourra reprendre son ascension, ou jusqu'au bout de la corde.

Ramenez la main contre le corps pour freiner la corde.

Saisissez la corde et penchez-vous en arrière.

MARCHER SUR LA NEIGE

LES TERRAINS RECOUVERTS DE NEIGE ET DE GLACE présentent des dangers qui ne sont pas forcément visibles et nécessitent des équipements spéciaux, ainsi que des techniques particulières. Sur la neige, ouvrez vos vêtements ou enlevez-les avant de transpirer, surtout s'il y a du soleil ; lorsque vous vous arrêtez, rhabillez-vous tant que vous êtes encore chaud.

ÉQUIPEMENT POLAIRE

Les vêtements polaires doivent à la fois emmagasiner la chaleur et être équipés de fermetures à glissière et de rabats permettant à la transpiration de s'évaporer. Il est préférable de porter, par-dessus le reste, des vêtements coupe-vent faits d'une matière aérée, pas entièrement imperméable.

Veste
Elle doit vous protéger du vent, du froid, et être assez ample pour vous permettre de porter plusieurs épaisseurs de vêtements en-dessous. Choisissez-la avec une doublure isolante.

Piolet à glace
Utile pour tailler des marches sur les pentes glacées et pour vous retenir en cas de chute.

Pantalon
Le pantalon (ou la salopette) doit avoir une doublure isolante, un revêtement externe coupe-vent et être équipé de fermetures à glissière permettant de satisfaire ses besoins naturels sans avoir à s'exposer au froid plus qu'il n'est nécessaire.

Capuche
La tête doit être bien protégée par une capuche assez profonde pour pouvoir protéger le visage contre le vent glacé.

Gants
Il vous faut trois paires de gants : des gants fins pour éviter que la peau ne se colle au métal, des gants intérieurs en laine et enfin des moufles étanches.

Marteau à glace
En escalade, ce marteau sert à enfoncer les pitons et les broches dans la glace dure.

Chaussures
Elles doivent comprendre une coquille externe isolante en plastique et des bottines intérieures assez épaisses pour marcher dans le campement et la tente. Elles se portent sur plusieurs paires de chaussettes, fines et épaisses.

SE DÉPLACER SUR LA NEIGE

Il est plus facile de se déplacer à la surface de la neige qu'en s'y enfonçant à chaque pas. Même avec des raquettes, marcher est difficile. Sur la neige, il ne faut jamais oublier les dangers qu'elle peut cacher et toujours s'encorder si l'on part en groupe, surtout dans les zones de crevasses.

Skis de randonnée
Les skis de randonnée sont équipés d'une semelle sur laquelle est collée une bande de matière synthétique évitant au skieur de glisser en arrière pendant les montées.

SKI DE RANDONNÉE

BÂTONS RÉGLABLES

SKI DE FOND

Skis de fond
Très longs et étroits, les skis de fond ont un profil légèrement cintré, qui s'abaisse vers les extrémités. Pour avancer, le skieur doit se pousser sur une jambe en prenant appui sur le bâton du côté opposé tandis que l'autre jambe glisse vers l'avant. Cette semelle est aussi conçue pour empêcher de reculer.

La semelle moulée des skis de fond les empêche de glisser en arrière.

BÂTON POLAIRE

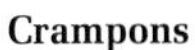

Crampons
On adapte les crampons aux chaussures pour augmenter leur adhérence sur la glace. Pour une randonnée, munissez-vous de crampons à 8, 10 ou 12 pointes. Les pointes avant en saillies sont réservées à l'escalade des murs de glace.

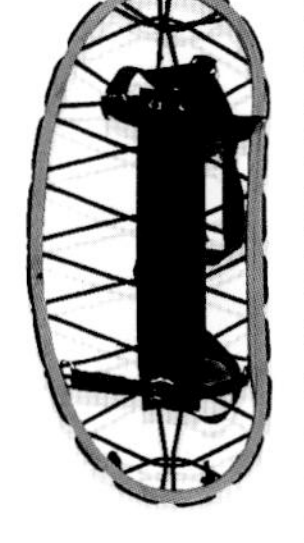

Raquettes
L'intérêt des raquettes est de répartir le poids du corps sur une surface plus importante afin d'éviter de s'enfoncer dans la neige. Cependant, si vous manquez d'entraînement, vous risquez de vous fatiguer autant que si vous n'en aviez pas.

LA PROTECTION DES YEUX

La neige réfléchit directement les rayons ultra-violets sur vos yeux. Les lunettes de glacier sont munies de protections latérales et de verres à très haut pouvoir filtrant. Les lunettes de neige, elles, protègent les yeux des flocons de neige poussés par le vent. Il faut toujours se protéger les yeux quand la température est très basse.

LUNETTES DE NEIGE

Des protections latérales mettent les yeux à l'abri des dangereux rayons ultra-violets.

LUNETTES DE GLACIER

TRAVERSER UNE RIVIÈRE

IL FAUT ETRE CONSCIENT QUE L'EAU est toujours dangereuse, surtout lorsqu'elle est courante. Avant de vous lancer dans une traversée, partez à la recherche d'un pont ou d'un passage à gué balisé. Souvenez-vous que, de la berge, vous pouvez ne pas voir le fond d'une rive à l'autre, et qu'il peut cacher des dangers. Avancez avec beaucoup de précautions.

À QUEL ENDROIT TRAVERSER

Le tracé d'une rivière, comme l'aspect de la surface de l'eau peuvent vous aider à choisir le meilleur endroit pour traverser. Assurez-vous que la berge opposée n'est pas trop escarpée.

Remous
Les remous sont provoqués par des rochers immergés ou de forts courants.

Rochers immergés
Les rochers cachés sous la surface de l'eau dévient le courant et créent des tourbillons.

Rochers découverts
Les rochers découverts sont souvent glissants et la rivière profonde tout autour.

Méandres
Traversez dans le creux des méandres, c'est là que le courant est le moins rapide.

Débris
Ne marchez pas sur les débris, les troncs flottants et toute forme de végétation qui pourraient vous entraîner sous l'eau.

Berge en surplomb
Une berge escarpée ou en surplomb peut gêner sérieusement votre sortie de l'eau, même s'il n'y a pas de courant.

Banc de gravier
Ce sont des endroits stables mais prenez garde que le courant ne soit pas beaucoup plus fort de l'autre côté.

TRAVERSER EN SOLITAIRE

Si vous êtes seul, sondez le fond de la rivière à l'aide de votre bâton pour en détecter les trous et les rochers. Placez-le en amont du courant et prenez appui dessus tout en soulevant votre pied d'attaque que vous déplacez latéralement dans le courant avant de le reposer fermement sur le fond.

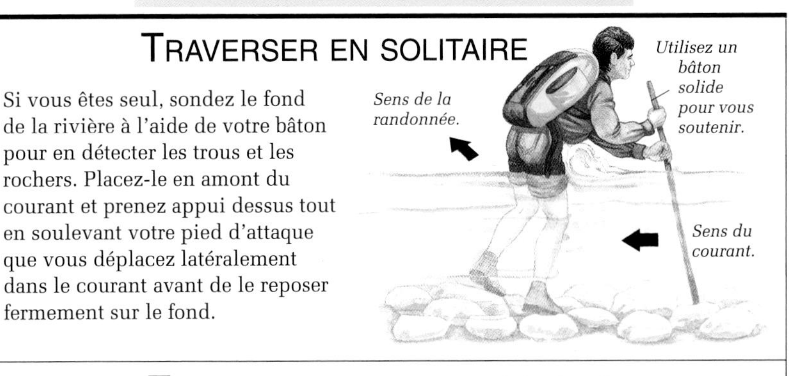

TRAVERSER AVEC DES CORDES

1 Passée autour d'un rocher, une longue corde, la « corde de sécurité », est enroulée autour de la personne la plus forte, A, qui va traverser la rivière. B est chargé de donner du mou à cette corde. A porte également une autre corde, la « corde de traversée », dont l'autre bout est retenu par C. Un mousqueton est attaché au milieu de cette corde de traversée. A sonde le fond de la rivière à l'aide d'un bâton.

2 Arrivé sur la rive opposée, A attache l'extrémité de la corde de sécurité à un rocher, passe le mousqueton autour de cette corde et noue le bout de la corde de traversée autour de sa propre taille. Le mousque ton est renvoyé vers B qui le fixe à sa ceinture et entame la traversée en se tenant à la corde de sécurité assurée par C.

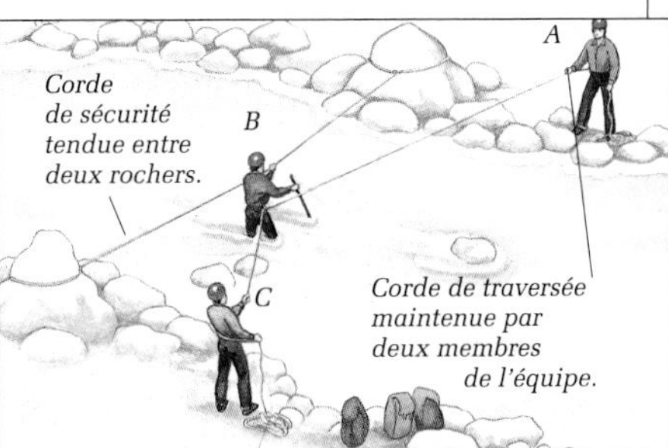

3 B détache le mousqueton, le fixe à la corde de sécurité. C le ramène vers lui et procède ensuite au transport des sacs à dos qui seront transbordés de la même façon. Le dernier à traverser, C détache la corde de sécurité du rocher, en noue l'extrémité autour de sa taille puis traverse la rivière. A et B ramènent la corde de traversée, prêts à le parer en cas de chute.

EN BATEAU

IL PEUT VOUS ARRIVER, au cours de certaines randonnées, d'avoir à utiliser une petite embarcation, soit comme passager, soit comme pilote. N'acceptez jamais de monter dans un bateau qui ne vous semble pas adapté au trajet que vous devez effectuer et méfiez-vous des gens incompétents : c'est votre vie qui est en jeu.

ARRIMAGE DE L'ÉQUIPEMENT

Le premier impératif à respecter lorsqu'on charge un bateau est la sécurité. Répartissez votre équipement en poids égaux et ne faites monter les passagers qu'après avoir vérifié que le bateau ne s'enfonce pas trop dans l'eau.

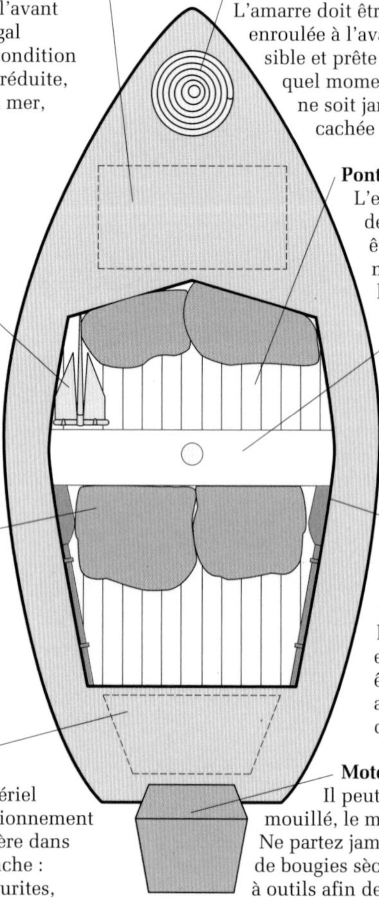

Chargement avant
Le poids embarqué à l'avant du bateau peut être égal à celui de l'arrière à condition de naviguer à vitesse réduite, et en eaux calmes. En mer, ou à bord d'un engin puissant, réduisez la charge avant afin de permettre au nez du bateau de se lever.

Amarre
L'amarre doit être soigneusement enroulée à l'avant du bateau, accessible et prête à servir à n'importe quel moment. Veillez à ce qu'elle ne soit jamais emmêlée ni cachée sous quelque chose.

Pont
L'espace de pont situé devant les passagers doit être libre afin que rien ne puisse leur bloquer les pieds.

Ancre
Amarrée et isolée de la coque par un rembourrage, l'ancre doit toujours être accessible et prête à servir.

Banc des passagers
Ne faites jamais l'erreur d'embarquer trop de passagers à la fois sur un bateau.

Équipement lourd
Les charges les plus lourdes doivent être placées au centre du bateau, ou vers l'arrière qui offre la meilleure stabilité.

Rames
Les rames sont rangées de chaque côté du bateau de façon à ne pas gêner les passagers mais elles doivent toujours être très facilement accessibles en cas d'urgence.

Chargement arrière
Si vous utilisez un hors-bord, tout le matériel nécessaire à son fonctionnement doit être rangé à l'arrière dans un compartiment étanche : jerrycane d'essence, durites, moteur de secours.

Moteur
Il peut arriver que, trop mouillé, le moteur se noie. Ne partez jamais sans vous munir de bougies sèches et d'une trousse à outils afin de pouvoir effectuer des réparations de fortune.

Protection étanche

Vous avez intérêt à protéger contre l'humidité les affaires que vous emportez dans votre sac à dos ; si vous embarquez sur un bateau, vous devrez envelopper votre sac afin de le rendre étanche et insubmersible.

1 Rangez vos affaires dans des sacs en plastique. Répartissez vos vêtements dans des sacs différents.

2 Doublez l'intérieur de votre sac à dos d'un grand sac plastique avant d'y mettre vos affaires. Essayez d'enfermer le maximum d'air dans ce sac avant de le fermer et vider l'eau des bouteilles, ceci afin d'augmenter la flottabilité de l'ensemble.

3 Étalez sur le sol une bâche étanche, ou le double toit de votre tente si vous n'avez rien d'autre, et repliez-la autour de votre sac.

4 Tirez vers le haut les bords de la bâche avant de les rouler serrés vers le bas en une fermeture bien hermétique.

5 Tordez les extrémités avant de les attacher avec une cordelette. Faites-le à deux, c'est plus facile.

Tordez les extrémités de la bâche.

6 Nouez ensemble les deux extrémités de la bâche en serrant aussi fort que vous le pouvez.

Une poignée double offre une prise plus facile dans l'eau.

7 Entourez votre paquetage de deux sangles que vous serrerez au maximum. Utilisez des sangles à boucles aussi longues que possible.

8 Nouez enfin les bouts des sangles ensemble pour en faire une poignée que vous pourrez attraper dans l'eau en cas de besoin.

À VÉLO

Le vélo permet de se déplacer rapidement mais, sur terrain accidenté, la vitesse peut devenir un danger, surtout avec un vélo chargé. N'oubliez pas que vous devez être capable de porter vélo et équipement sur votre dos car, en cas de problème mécanique grave, personne ne viendra vous dépanner.

Équipement

Prévoyez plusieurs couches de vêtements faciles à enlever si vous avez trop chaud et à remettre pour éviter de vous refroidir dès que vous vous arrêtez.

Rouler de nuit est dangereux mais, en cas de nécessité, équipez-vous d'une lampe frontale qui vous aidera à voir devant vous.

Vous pouvez porter des chaussures de sport ou des chaussures de cyclotourisme adaptées aux cale-pied.

Le casque est un accessoire de sécurité indispensable.

Mettez une veste coupe-vent et gardez un pull-over à portée de la main pour vous couvrir pendant les pauses.

Les guêtres évitent que le pantalon ne s'accroche à la chaîne du vélo ou aux broussailles quand vous roulez très vite.

Kit de réparation

Vous avez intérêt à savoir à quoi sert chacun des éléments de votre kit de réparation et à vérifier qu'ils sont adaptés à votre vélo.

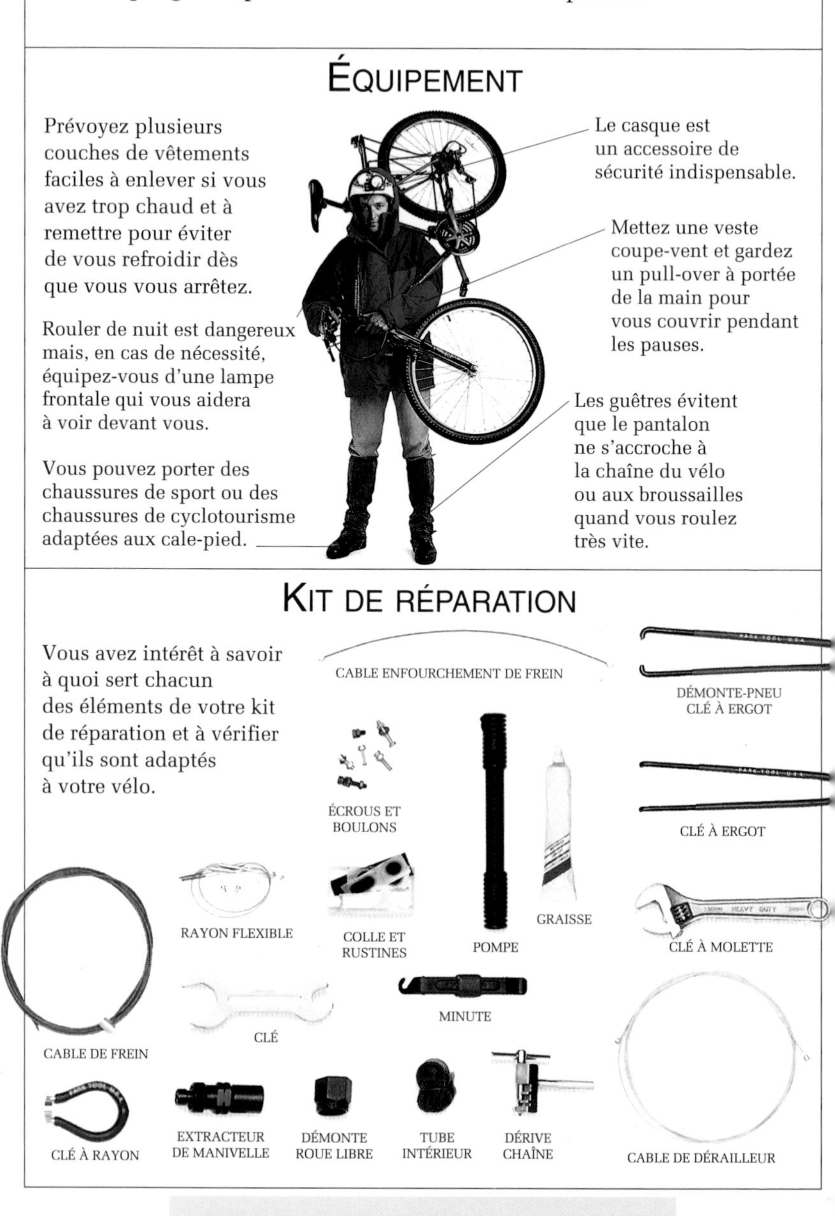

Porter son équipement

La façon de porter son équipement à vélo dépend du type de terrain sur lequel on roule.
Si vous projetez de rester sur des routes et des chemins, vous pouvez répartir les charges entre sac à dos et sacoches du vélo car vous n'aurez sans doute pas à porter votre vélo. Sur terrain accidenté, en revanche, vous serez souvent obligé de le porter pour franchir des obstacles.
Afin de ménager votre dos, choisissez un modèle de vélo robuste mais léger, et rangez toutes vos affaires dans un sac à dos de faible encombrement. Vous pourrez ainsi porter plus facilement votre vélo sur l'épaule.

Le sac à dos
Porter un sac à dos vous donnera une meilleure maniabilité sur terrain accidenté mais le centre de gravité relativement haut réduit la stabilité et augmente les risques de chute.

Les sacoches
Des sacoches chargées abaissent le centre de gravité et donnent au vélo une plus grande stabilité. Il faut équilibrer la charge des sacoches avant et arrière comme celle des sacoches latérales.

De nuit, le casque blanc est le plus visible.

Concentrez-vous sur le contrôle de votre vélo. Une faute d'inattention peut entraîner une chute au cours de laquelle vous risquez de vous blesser et d'abîmer votre vélo.

Pour éviter que la roue ne patine sur un sol boueux ou glissant, déportez le poids du corps vers l'arrière de la selle.

Gardez toujours les deux mains sur le guidon, même sur une route facile, en prévision d'un obstacle invisible.

La sacoche du porte-bagages est fermée par une fermeture éclair pour faciliter l'accès aux objets qu'elle contient.

Installez un étui à cartes transparent sur le dessus de la sacoche de guidon.

Les sacoches sont fixées à la fois au porte-bagages et au cadre du vélo à l'aide de crochets.

Le hauban-chaîne est assez long pour permettre d'installer la sacoche arrière au-dessus de l'axe de la roue.

Les sacoches accrochées à l'axe des roues avant apportent une maniabilité optimale.

UTILISER DES ANIMAUX

SI VOUS DÉCIDEZ DE LOUER DES ANIMAUX DE CHARGE, assurez-vous qu'ils soient accompagnés de quelqu'un qui connaisse parfaitement leurs limites, besoins et habitudes. Même les animaux les plus résistants peuvent faiblir ou devenir réticents s'ils sont mal dirigés. En cas de blessure, assurez-vous qu'on les soigne aussitôt.

LE CHOIX DE L'ANIMAL

Les disponibilités locales orienteront bien sûr votre choix. Les ânes et les lamas portent moins de charges et sont plus lents que les chameaux et les chevaux mais sont parfaits si vous n'avez pas trop de bagages.

Ânes
Un âne peut porter 65 kg et parcourir de 13 à 16 km par jour. En comparaison, un cheval peut porter 90 kg et parcourir 50 km par jour. Les ânes avançant lentement, vous devez adapter votre pas au leur.

Lamas
Les lamas peuvent marcher à une allure normale pendant une journée entière avec une charge de 45 kg sur le dos. Leurs pattes dépourvues de sabots n'abîment pas les chemins.

ÉQUIPAGE DE CHIENS

Engagé dans la course au Pôle Sud, le capitaine Robert Scott, explorateur anglais, utilisa des poneys dont aucun ne survécut. Dirigée par Roald Amundsen, l'équipe norvégienne utilisa, elle, des chiens qui résistèrent et lui permirent d'atteindre le Pôle la première.

Pour diriger, le conducteur déplace le poids de son corps d'un côté à l'autre du traîneau.

Les patins du traîneau sont recouverts d'une matière plastique dure qui réduit le frottement.

Transport traditionnel
Mode de transport traditionnel, les chiens de traîneau sont les meilleurs pour se déplacer sur la neige ou la glace. Incroyablement résistants, capables de dormir dehors en plein blizzard et d'avancer très rapidement sur tous les terrains (sauf sur la glace qui leur coupe les pattes), les chiens sont beaucoup plus faciles à entretenir que des véhicules motorisés.

Les chameaux

Les chameaux, et dromadaires, peuvent porter jusqu'à 272 kg sur n'importe quel terrain. Leurs longues pattes leur permettent de traverser à gué des rivières trop dangereuses pour l'homme. Grâce à leurs larges pieds, ils peuvent traverser des étendues de sable, de neige ou de cailloux.

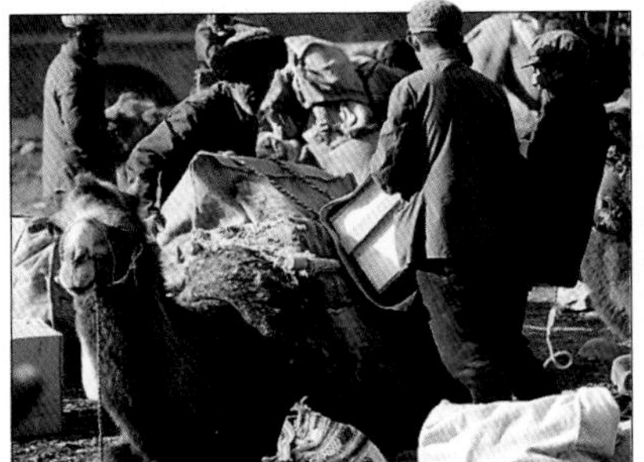

Charger l'animal
Le chargement d'un chameau peut se révéler parfois très compliqué. Il faut faire agenouiller l'animal et installer sur ses bosses une selle rudimentaire. La charge doit être également répartie de part et d'autre de la selle, et éventuellement sur le dessus. S'il trouve la charge trop lourde, l'animal peut refuser de se lever et se mettre à blatérer, cracher et même essayer de mordre.

En route
Les chameaux sont à l'aise au milieu des déserts chauds ou froids, aussi bien qu'en montagne, sur le sable comme sur la neige. S'ils fournissent un gros effort, il faut les nourrir et les abreuver chaque jour. Avec une charge, un chameau peut parcourir 27 km par jour suivant le terrain, davantage dans un désert plat. Cependant, ils peuvent souffrir d'une altitude trop élevée.

Les soins
Comme tous les animaux de charge, les chameaux ne doivent pas être traités comme des animaux familiers. Il est indispensable de les inspecter chaque jour afin de détecter le moindre problème à temps. Cela doit faire partie de leur routine quotidienne. Vérifiez que les charges ne les blessent pas, qu'il n'y a pas de sable sous la selle, qu'ils ne souffrent pas de morsures ni de piqûres d'insectes. Assurez-vous que selle et harnachement ne sont pas trop serrés.

Le brossage aide à faire tomber tiques et autres insectes.

Les chiens sont attelés ensemble pour travailler à l'unisson.

Une épaisse fourrure les protège du vent et de la neige.

Les chiens
Recouverts d'une épaisse fourrure du bout des pattes jusqu'à la tête, les chiens esquimaux sont parfaitement adaptés aux conditions climatiques des pôles.

LIRE UNE CARTE

UNE CARTE DONNE BEAUCOUP PLUS D'INDICATIONS sur la nature du sol qu'une photographie aérienne. Vérifiez la date à laquelle votre carte a été dessinée ou mise à jour - vous aurez peut-être à tenir compte de certains changements. Dans les pays en voie de développement, l'exactitude des cartes laisse parfois à désirer, méfiez-vous.

ÉCHELLE

L'échelle est généralement notée au bas de la carte par des chiffres indiquant le rapport existant entre une distance et sa représentation sur la carte. Pour les randonneurs, l'échelle idéale est au 1/50 000e (1cm sur la carte = 5 km sur le terrain).

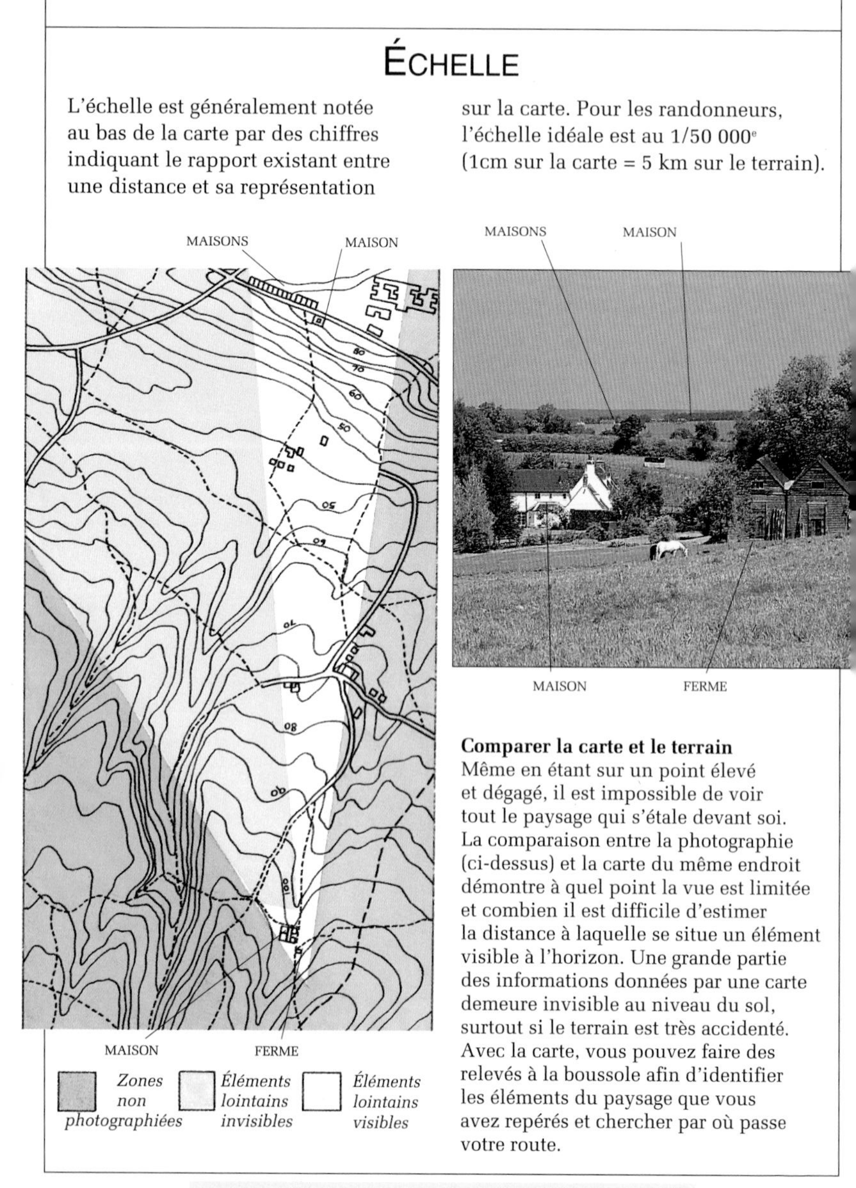

Comparer la carte et le terrain
Même en étant sur un point élevé et dégagé, il est impossible de voir tout le paysage qui s'étale devant soi. La comparaison entre la photographie (ci-dessus) et la carte du même endroit démontre à quel point la vue est limitée et combien il est difficile d'estimer la distance à laquelle se situe un élément visible à l'horizon. Une grande partie des informations données par une carte demeure invisible au niveau du sol, surtout si le terrain est très accidenté. Avec la carte, vous pouvez faire des relevés à la boussole afin d'identifier les éléments du paysage que vous avez repérés et chercher par où passe votre route.

Inclinaisons du terrain

Les courbes de niveau relient les points de même altitude. Les chiffres portés donnent la hauteur de chaque courbe.

Si les courbes sont très éloignées, des détails tels que des gorges ou des falaises peuvent ne pas apparaître.

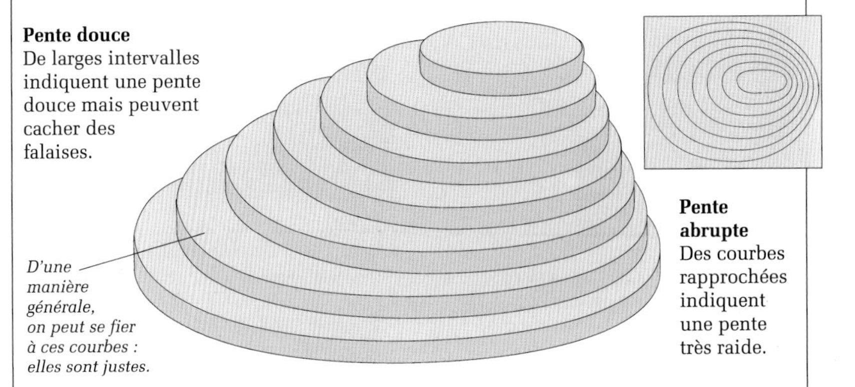

Pente douce
De larges intervalles indiquent une pente douce mais peuvent cacher des falaises.

D'une manière générale, on peut se fier à ces courbes : elles sont justes.

Pente abrupte
Des courbes rapprochées indiquent une pente très raide.

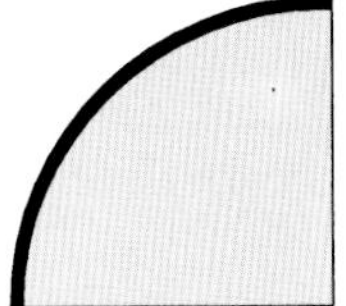
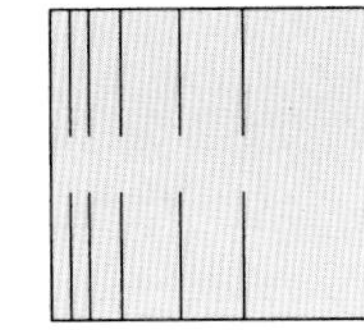

Pente convexe
Lorsqu'on se trouve au pied d'une pente convexe, il est impossible d'en voir le sommet et on peut rencontrer une succession de faux sommets.
Les cartes l'indiquent par des courbes rapprochées vers le bas et de plus en plus écartées vers le haut.

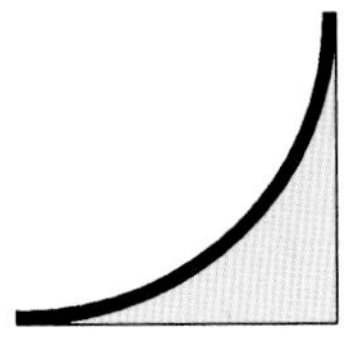
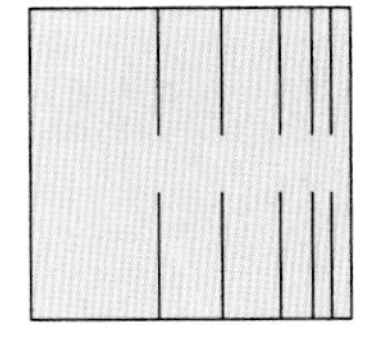

Pente concave
L'incinaison d'une pente concave s'adoucit vers le bas et on en voit facilement le sommet. Les cartes l'indiquent par des courbes de niveau de plus en plus rapprochées vers le haut. Son ascension est donc de plus en plus dure.

Références de quadrillage

La plupart des cartes sont quadrillées pour un repérage plus facile.
Les lignes verticales sont appelées « ordonnées » et les lignes horizontales « abscisses ». Abscisses et ordonnées sont numérotées. Pour déterminer une référence de quadrillage, suivez la ligne verticale la plus proche de la position jusqu'au bas de la carte pour déterminer son ordonnée, ou abscisse -par exemple, 04. Calculez les dixièmes entre la ligne de quadrillage et la position - ici, 5. Répétez cette opération pour la ligne horizontale la plus proche (410).

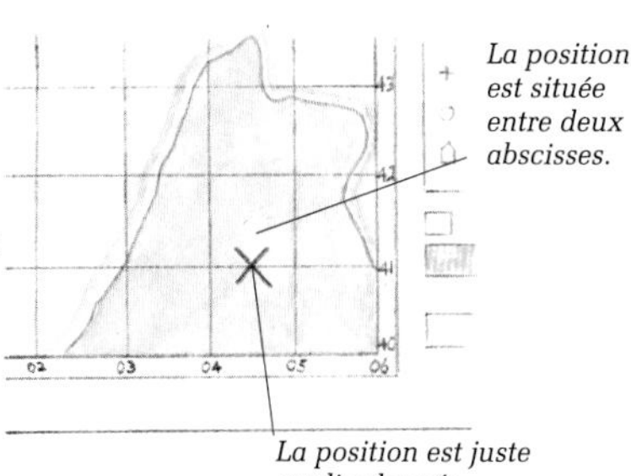

La position est située entre deux abscisses.

La position est juste sur l'ordonnée.

Position exacte
Cette méthode fournit une référence de quadrillage à six chiffres (045410). Certaines cartes utilisent également des lettres de référence.

Reconnaître les reliefs

Lorsque l'on commence à savoir lire une carte géographique, on repère immédiatement la plupart des reliefs indiqués. Les courbes des collines, vallées, cols et crêtes sont toutes indiquées de façon différente.

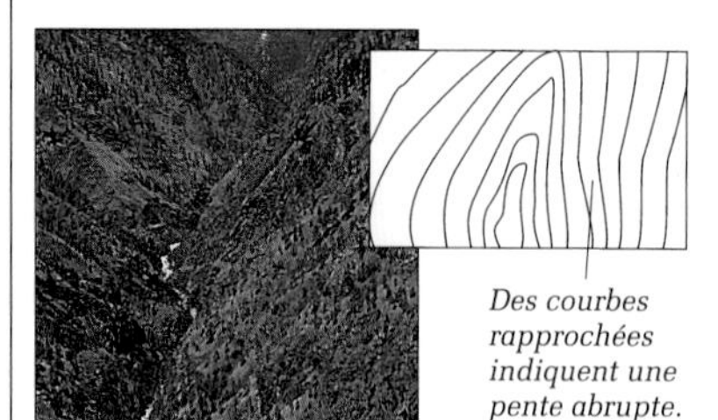

Des courbes rapprochées indiquent une pente abrupte.

Vallée
Sur la carte, une rivière est indiquée par une série de courbes en forme de V.

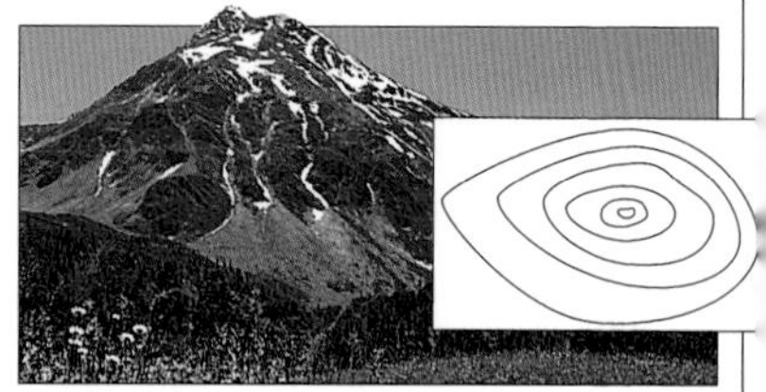

Colline
On reconnaît une colline à ses courbes concentriques.

Col
Un col étant une dépression entre deux collines, il est indiqué par deux séries de cercles concentriques réunis par deux courbes allongées.

Crête
Les crêtes sont représentées par des courbes ovales allongées et rapprochées reliant souvent deux sommets.

Intervisibilité

Il est indispensable de savoir quels sont les reliefs visibles sur le terrain afin de pouvoir s'orienter. La carte ci-contre compare deux points de visée, de O vers A, et de O vers B. Les zones sombres des graphiques (sous la carte) indiquent les reliefs visibles à partir du point O ; les zones claires sont intervisibles avec O. Sur la carte, les zones grises correspondent aux zones sombres des graphiques.

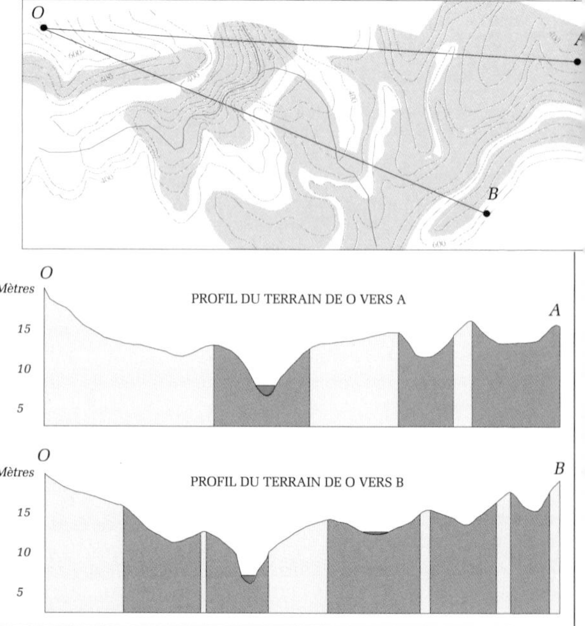

CALCULER UNE DISTANCE SUR LA CARTE

Il est indispensable de savoir estimer la distance à parcourir et trouver sa position approximative sur une carte.

Les routes suivant rarement des lignes droites, votre technique d'estimation doit rester souple.

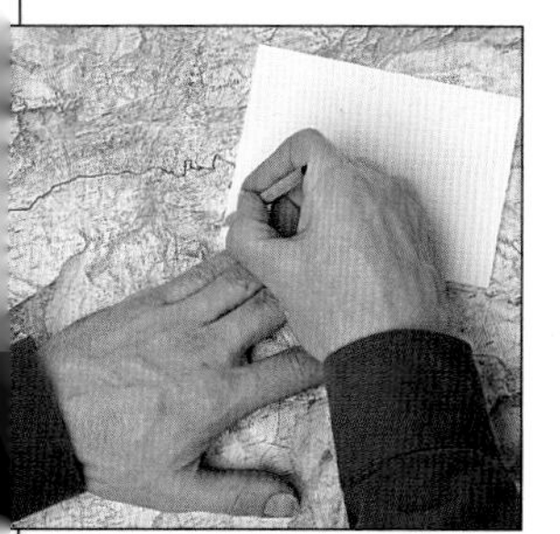

1 Commencez à l'angle d'une feuille de papier en alignant le bord sur la route choisie. Marquez le premier virage à l'aide d'un crayon pointu.

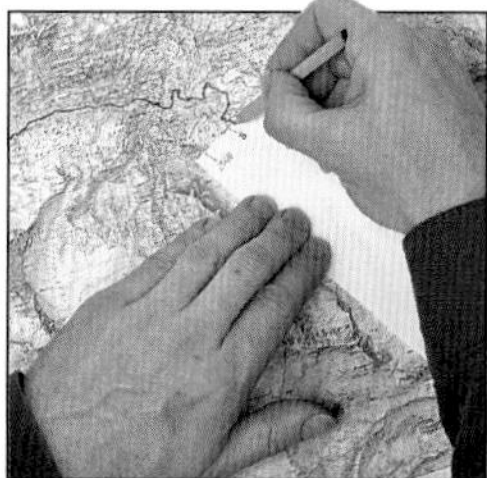

2 Faites tourner le papier autour de la mine du crayon pour aligner à nouveau le bord du papier sur la route et marquez le second virage, en notant les repères significatifs.

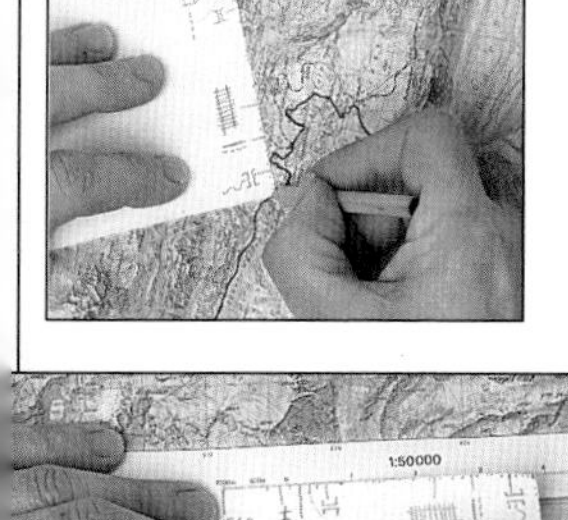

3 Continuez ainsi tout autour de la feuille de papier. Représentez par des symboles ponts, voies ferrées, etc.

4 Lorsque vous avez entièrement tracé votre route, utilisez l'échelle pour inscrire chaque kilomètre sur le papier.

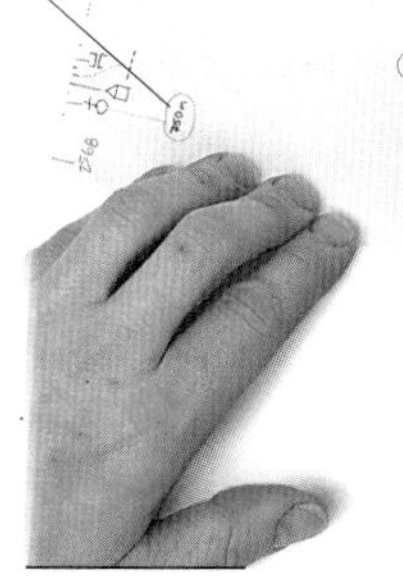

Notez la distance séparant le point de départ de chaque élément du paysage facilement reconnaissable.

5 Calculez le nombre total des kilomètres inscrits. Tenez compte des reliefs quand vous estimerez le temps qu'il vous faudra pour parcourir cette distance (voir ci-dessous).

ESTIMER LA DURÉE D'UN PARCOURS

Lorsque vous relevez l'échelle d'une carte afin de déterminer la longueur d'un parcours, n'oubliez pas que la distance que vous parcourerez ne se fera pas forcément sur terrain plat. L'estimation de la durée du parcours doit tenir compte du temps perdu à gravir des pentes. Vous pouvez gagner du temps dans les descentes ; mais les descentes très raides vous ralentiront elles aussi.

Vous pouvez vous baser sur la règle de Naismith pour faire votre estimation car elle tient à la fois compte de la distance et de la topographie. Naismith part du principe qu'il faut 60 minutes pour parcourir 5 km et qu'on doit ajouter 30 minutes de plus pour chaque montée de 300 m. Pour les descentes de pentes modérées, on enlève 10 minutes par 300 m. Mais pour les pentes raides, on ajoute 10 minutes par 300 m.

Utiliser une boussole

La boussole est un instrument indispensable pour se repérer dans la nature. N'oubliez pas que les objets métalliques ou magnétiques peuvent infuencer le mouvement de l'aiguille. Donc, assurez-vous que rien ne vient la perturber en cas de brusque changement de direction. Mais si tout est en ordre, suivez-la en toute confiance.

La boussole « Silva »

La boussole « Silva » est légère, très sûre et suffisamment précise pour s'orienter. Elle permet de prendre des repères sur une carte et de positionner le cadran pour trouver sa direction sans faire de calculs particuliers.

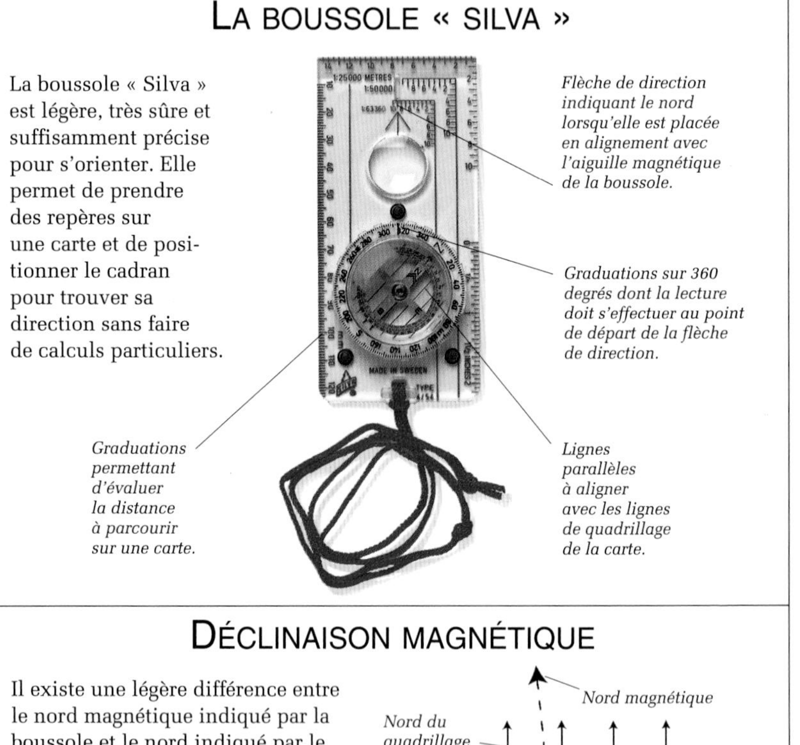

Déclinaison magnétique

Il existe une légère différence entre le nord magnétique indiqué par la boussole et le nord indiqué par le quadrillage des cartes. Dans certaines régions, cette déclinaison est insignifiante. Mais sous des latitudes élevées, elle devient considérable et peut, à la limite, rendre la boussole inutilisable. Il faut absolument connaître la déclinaison magnétique de la région dans laquelle vous vous trouvez (indiquée sur les cartes topographiques), afin de vous orienter correctement en procédant au besoin aux additions ou soustractions nécessaires.

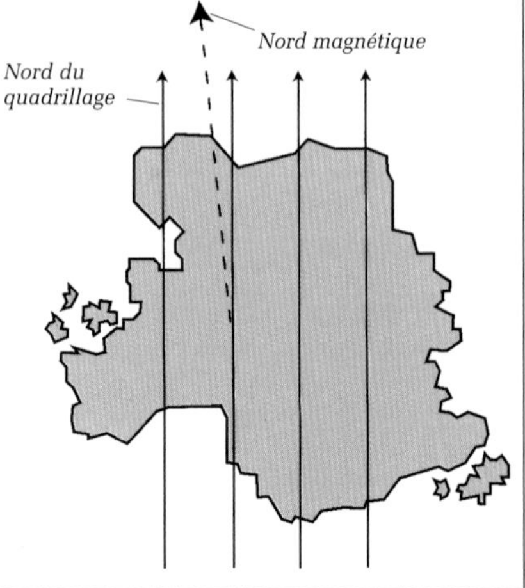

BOUSSOLE À PRISME

La boussole à prisme est plus précise que la boussole rapporteur, à la fois pour la navigation et pour faire le point. Son cadran lumineux et son système de blocage en font l'instrument idéal pour une randonnée nocturne.

Visée
Pour faire une visée avec la boussole à prisme, il faut relever le couvercle et tourner l'oculaire en position de lecture.

Trait lumineux pour navigation nocturne, la boussole étant ouverte et posée à plat.

Repère vertical sur le couvercle situé au milieu de la visée.

Rose des vents magnétique flottante.

Oculaire contenant un prisme grossissant.

Bague graduée mobile.

Anneau destiné à tenir la boussole, et pourvu d'une encoche lumineuse pour navigation nocturne.

Trait lumineux indiquant le nord, pour navigation nocturne.

COMMENT UTILISER LA BOUSSOLE À PRISME

Pour faire le point, orientez la boussole vers un point de repère que vous désirez suivre. Puis, le couvercle ouvert, alignez l'aiguille sur le repère nord du cadran. Gardez les alignés en marchant.

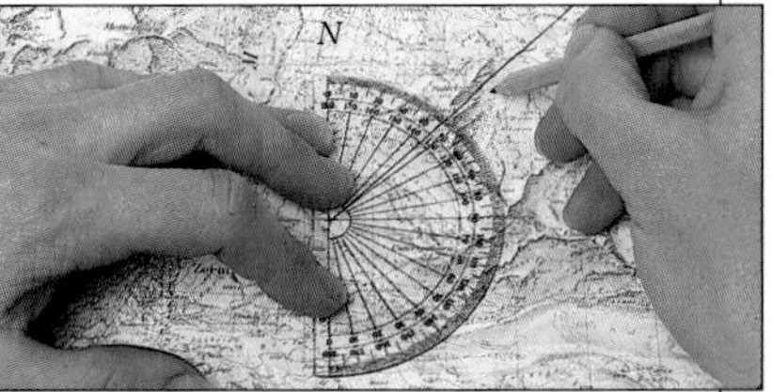

1 La boussole contre la joue, regardez par l'oculaire et alignez le repère vertical du couvercle avec l'élément que vous avez choisi comme point de repère. Vous pouvez voir en même temps, en baissant légèrement les yeux, à quelle graduation correspond le repère vertical grâce au prisme qui réfléchit cette image vers votre œil. Sur l'illustration ci-dessus, le repère est donc à 45 degrés.

2 Pour plus d'exactitude, ajoutez ou soustrayez à ce chiffre la déclinaison magnétique de l'endroit où vous vous trouvez . Reportez le nombre de degrés obtenus sur votre carte, à l'aide d'un rapporteur et d'un crayon en alignant le degré zéro du rapporteur sur le nord.

3 Repérez sur la boussole le nombre de degrés obtenus, puis alignez l'aiguille sur le repère indiquant le nord pour savoir dans quelle direction aller.

ORIENTATION DE LA CARTE

Pour vous orienter sur le terrain, vous devez trouver le nord (le haut de la carte). Vous pouvez vous placer, carte en main, face au nord ; mais vous pouvez aussi vous placer dans la direction de votre destination et orienter la carte à l'aide de la boussole.

1 Pour trouver le relèvement du point A au point B, placez la boussole sur la carte entre ces deux points, en orientant la flèche de direction vers votre destination. Lisez alors la distance entre A et B sur la règle graduée de la boussole et comparez-la à l'échelle de la carte.

2 Sans bouger la boussole, tournez le cadran central jusqu'à ce que les lignes parallèles nord-sud soient parallèles aux lignes du quadrillage de la carte. La flèche rouge indiquant le nord doit être orientée vers le nord du quadrillage. Le relèvement (l'angle entre la ligne A/B et le nord magnétique) est maintenant positionné dans la boussole.

3 Tournez la carte jusqu'à ce que le repère indiquant le nord sur le cadran s'aligne sur l'aiguille magnétique. La flèche de direction pointera sur le relèvement que vous avez défini

Alignez l'aiguille indiquant le nord magnétique avec le repaire nord du cadran.

4 Vous pouvez prendre la boussole à la main et suivre la flèche de direction. Vérifiez que le repère nord du cadran et l'aiguille magnétique restent en alignement. Lorsque vous suivez un relèvement, tenez toujours la boussole bien à plat afin d'éviter que l'aiguille ne se bloque et vous induise en erreur.

Trouver sa position

Il est possible de se situer approximativement en choisissant deux ou trois points de repère identifiables sur la carte et en orientant la carte dans leur direction. La boussole vous aidera à trouver votre position exacte.

1 Choisissez sur le terrain deux éléments remarquables susceptibles de figurer sur votre carte. Ces repères (ici deux maisons) doivent se situer à au moins 20 degrés de part et d'autre de la position que vous occupez.

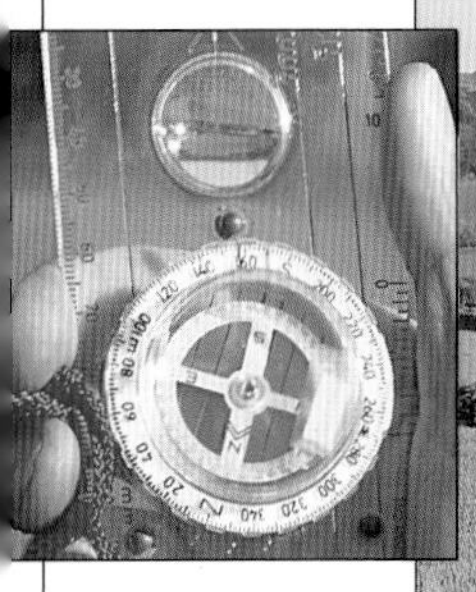

2 Faites le relèvement de la première maison en tenant éventuellement compte de la déclinaison magnétique. Idientifiez-la sur la carte.

3 Tracez le relèvement de retour en ajoutant ou soustrayant 180 degrés au relèvement initial.

4 Faites le relèvement de la deuxième maison (qui doit être aisément identifiable sur la carte). Si vous vous trouvez au milieu de la jungle, du désert, sur une lande ou dans la neige, vous n'aurez peut-être rien d'autre que des crêtes ou des collines que vous devrez identifier à l'aide des courbes de niveau de la carte.

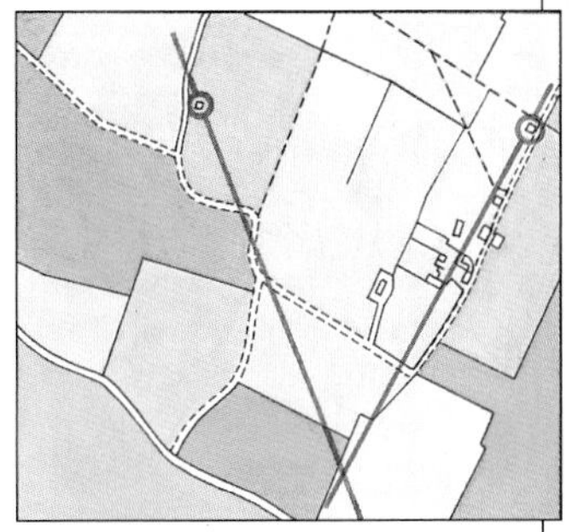

5 Tracez le deuxième relèvement de retour par le même procédé que pour le premier. Vous vous trouvez à l'intersection des deux relèvements de retour. Un troisième relèvement de retour formera avec les deux autres un triangle à l'intérieur duquel vous vous situez.

TECHNIQUES D'ORIENTATION

L'ORIENTATION CONSISTANT À CALCULER des positions et à estimer des distances, il est bon de connaître quelques «trucs» avant de se lancer à l'aventure. Vous pouvez déjà vous orienter dans la bonne direction avec une boussole mais les accidents de terrain, les zones de végétation impénétrable ainsi que les obstacles invisibles au départ sont autant de problèmes dont il faut tenir compte.

ÉCARTEMENT

Une boussole vous conduira à votre destination avec une marge d'erreur de 10 à 20 degrés. Si vous essayez d'atteindre directement le fourche de la rivière ci-contre, vous pouvez très bien arriver trop à droite, ou trop à gauche de ce point sans savoir de quel côté aller pour la retrouver. En revanche, si vous prenez le parti d'atteindre la rivière en amont ou en aval de la fourche, vous saurez, cette fois, de quel côté vous diriger.

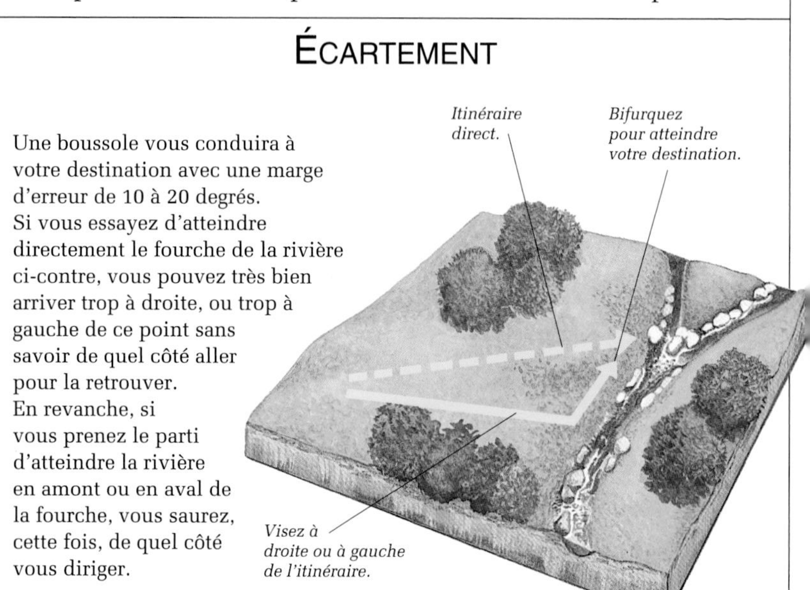

SUIVRE LA COURBE DE NIVEAU

Vous risquez de vous épuiser inutilement à suivre votre boussole qui vous obligera à monter pour redescendre ensuite. La technique de la courbe de niveau consiste à conserver la direction indiquée par la boussole tout en suivant sur la carte une courbe de niveau qui vous permet de rester à la même altitude et de contourner l'obstacle en économisant vos forces. Cette méthode d'orientation est particulièrement précieuse dans la jungle où l'orientation par relèvement est pratiquement impossible.

Suivant votre boussole, votre itinéraire passe par cette colline.

Suivez la courbe de niveau pour rester à la même altitude.

REPÈRE PARALLÈLE

Si un obstacle, une colline par exemple, vous cache votre point d'arrivée, il vous empêche de faire un relèvement. Vous pouvez alors choisir sur la carte un «repère parallèle», un point caractéristique du relief qui vous guidera jusqu'à votre destination. On choisit en général une route, une crête, ou une rivière comme ici. Prenez un relèvement par rapport au repère parallèle, la rivière, et dirigez-vous vers elle. Ensuite, longez-la jusqu'à ce que vous aperceviez la colline puis tournez à gauche vers votre objectif. Si, comme dans cet exemple, le repère parallèle ne mène pas directement à l'endroit où vous vous rendez, faites le point à la boussole pour terminer votre parcours.

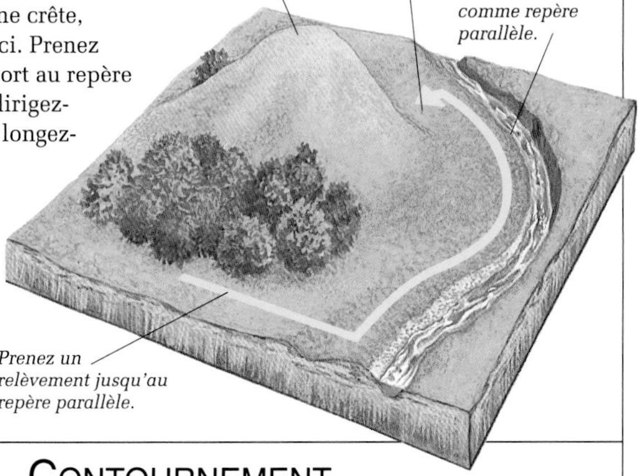

CONTOURNEMENT

La technique du contournement est utile dans le cas d'obstacles très larges à éviter, un marécage par exemple dont les limites ne sont pas très précises sur la carte. Pendant le contournement, conservez le relèvement en ligne droite défini par votre boussole. Mesurez la distance que vous parcourez pour vous écarter de la ligne droite. Une fois l'obstacle contourné, retournez à votre relèvement et parcourez la même distance pour retrouver votre trajectoire initiale.

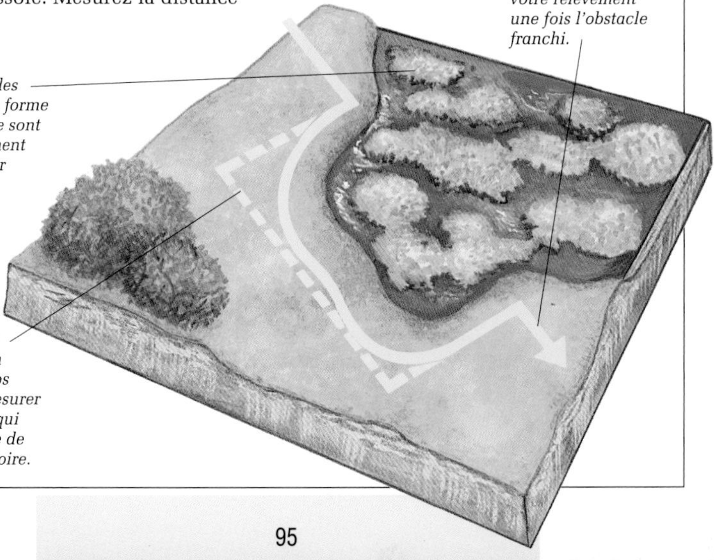

TROUVER SA POSITION

IL EST PRIMORDIAL DE SAVOIR S'ORIENTER lorsqu'on part en randonnée. Si vous ne possédez pas de boussole, vous pouvez malgré tout réussir à suivre une direction, sans vous tromper, à l'aide du soleil le jour, et des étoiles la nuit.

LE NORD ET LE SUD

L'été, dans les régions polaires, le soleil ne se couche pas.

SOLEIL

A l'équateur, la trajectoire du soleil n'est déviée ni vers le nord, ni vers le sud.

TERRE

Le soleil se lève à l'est et se couche à l'ouest. À partir du moment où il est assez haut dans le ciel, il suit une trajectoire orientée vers le sud dans l'hémisphère nord, vers le nord dans l'hémisphère sud.

SE REPÉRER AVEC UNE MONTRE

Vous pouvez vous servir du soleil et d'une montre pour repérer le nord ou le sud (suivant l'hémisphère dans lequel vous vous trouvez). Le soleil doit être visible ; par temps couvert, on peut parfois distinguer une zone du ciel plus lumineuse.

Hémisphère nord
Pointez l'aiguille des heures vers le soleil. La bissectrice de l'angle formé par l'aiguille des heures et le repère de 12 heures indique le sud.

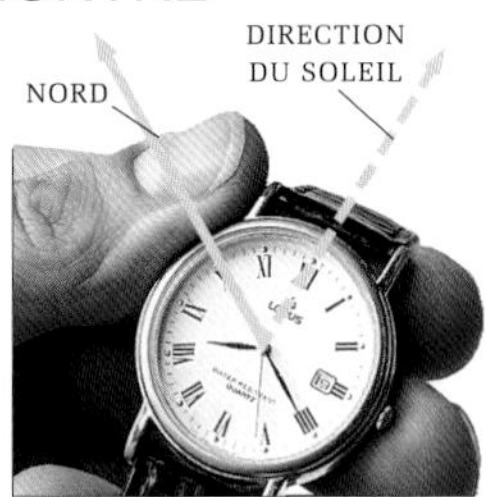

Hémisphère sud
Pointez le repère de 12 heures vers le soleil. La bissectrice de l'angle formé par ce repère et l'aiguille des heures indique le sud.

L'EST ET L'OUEST

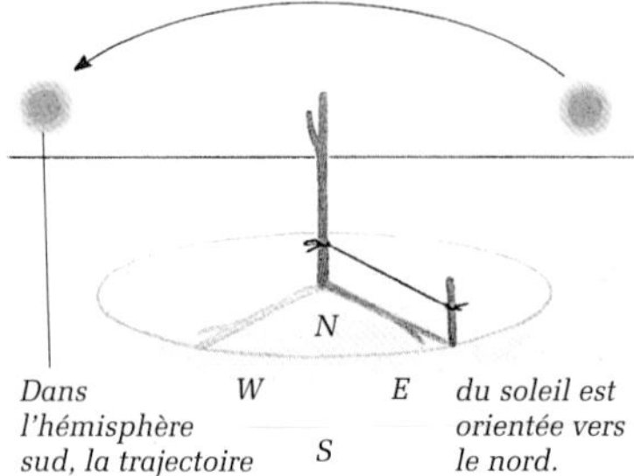

Dans l'hémisphère sud, la trajectoire du soleil est orientée vers le nord.

Plantez un bâton à la verticale dans le sol. Pour déterminer la direction de l'est et de l'ouest, faites une marque au bout de l'ombre de ce bâton le matin. Fixez une ficelle de la longueur de l'ombre à un bout de bois et tracez un cercle autour du bâton. L'après-midi, faites une marque à l'endroit où l'ombre traverse le cercle : vous aurez la direction de l'est.

Se repérer avec les étoiles

Toutes les étoiles semblent se déplacer dans le ciel, sauf l'Étoile Polaire qui permet, dans l'hémisphère nord, de trouver la nord. Dans l'hémisphère sud, c'est la Croix du Sud qui sert de point de repère.

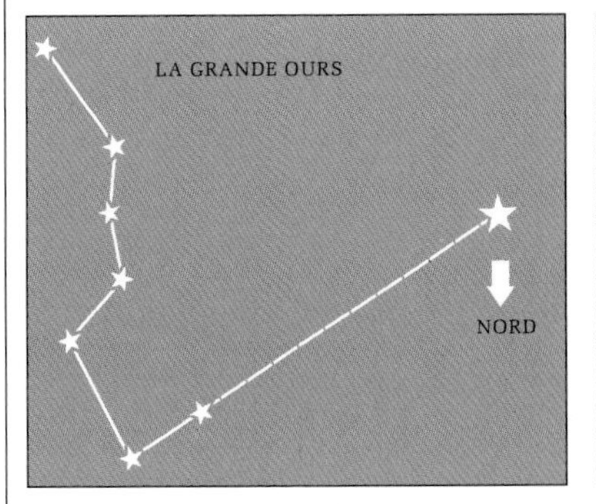

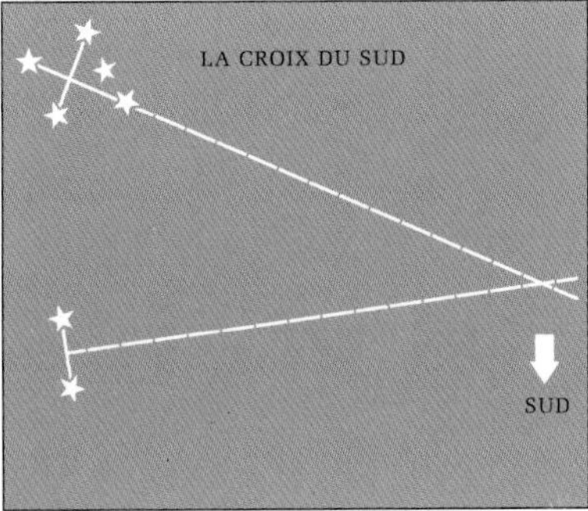

Hémisphère nord
Tracez une ligne imaginaire entre les deux étoiles formant la partie avant du chariot de la Grande Ourse. En la reportant quatre fois dans la même direction, vous trouverez l'Étoile Polaire qui est toujours au nord, au-dessus de l'horizon.

Hémisphère sud
Tracez une ligne imaginaire entre les deux étoiles transversales de la Croix du Sud. Reportez-la quatre fois et demie pour trouver le sud. Deux étoiles brillantes situées au-dessous de la Croix vous aideront à localiser le point exact.

GPS

Le GPS (système de positionnement global) a considérablement modifié la navigation. Ce système utilise une constellation de 24 satellites qui transmettent des signaux radio à n'importe quel endroit de la Terre.

Liaison satellite
Largement utilisé sur mer, le GPS permet d'intercepter des signaux renvoyés à la Terre par satellite afin de déterminer votre position et vous renseigner précisément sur votre progression.

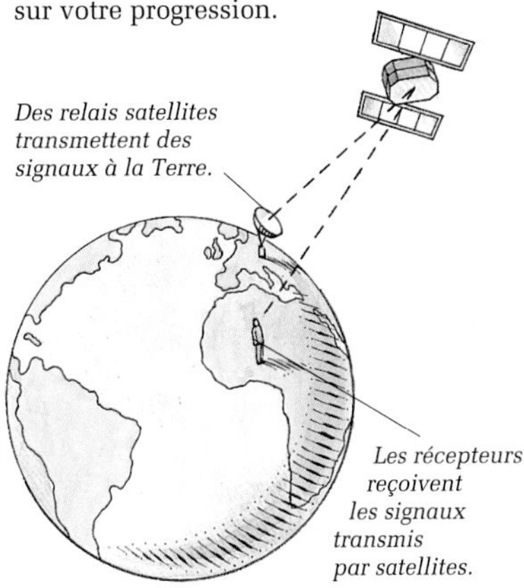

Des relais satellites transmettent des signaux à la Terre.

Les récepteurs reçoivent les signaux transmis par satellites.

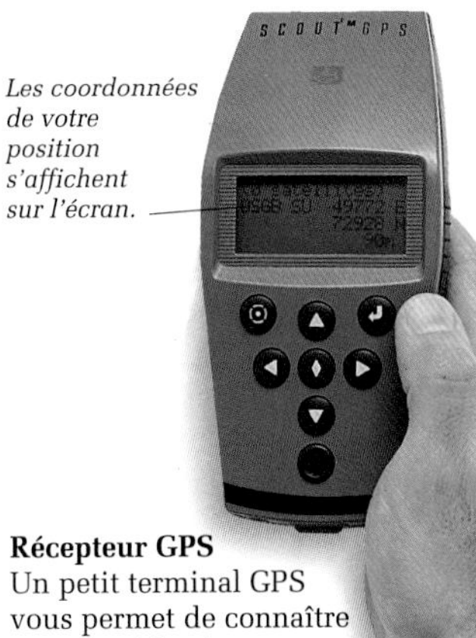

Les coordonnées de votre position s'affichent sur l'écran.

Récepteur GPS
Un petit terminal GPS vous permet de connaître votre position à tout moment. Il peut arriver que les liaisons s'interrompent un bref instant si les satellites GPS se trouvent derrière l'horizon.

Prévoir le temps

Le temps dépend à la fois du terrain, de la saison, de l'altitude et de la latitude ainsi que du climat. On peut observer des variations locales extrêmes. Les prévisions météorologiques modernes reposent sur les analyses de puissants ordinateurs mais il existe une quantité de signes naturels que tout randonneur doit apprendre à reconnaître et à interpréter.

Lire dans les nuages

Les différents types de nuages que l'on peut observer au-dessus de nos têtes dépendent de la température, de la pression et de l'humidité de l'air ambiant. La direction du vent peut déjà vous aider à prévoir le temps.

Cumulo-nimbus en enclume
Ces très gros nuages sombres en forme d'enclumes apportent de la grêle, du vent, du tonnerre et des éclairs.

Cirro-cumulus
Certaines formations de cumulus se transforment en petits flocons de nuages qui s'élèvent très haut et ressemblent parfois à des écailles de poisson.

Cirro-stratus
Accompagnées de vents forts, ces traces sombres peuvent annoncer de la pluie ou de la neige dans les quinze prochaines heures.

Altocumulus
Nuages de moyenne altitude en flocons ou lamelles, annonciateurs de pluie dans les quinze prochaines heures.

Strato-cumulus
Couche nuageuse dense, grise ou blanche pouvant produire de petites averses de pluie ou de neige.

Cirrus
Ces nuages annoncent généralement le beau temps ; mais en hiver, s'il y a du vent, ils peuvent annoncer du blizzard ou des chutes de neige.

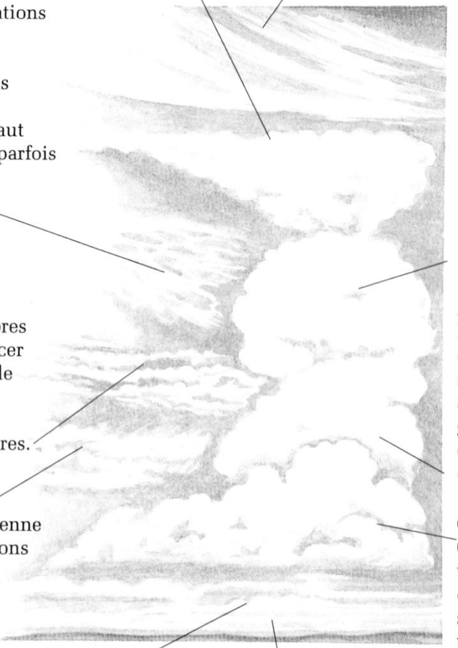

Cumulo-nimbus
Lorsque les cumulus s'assombrissent et se gonflent en hauteur, l'humidité se condense en gouttelettes sous l'effet de l'air froid et se transforme souvent en pluie.

Altostratus
Les cirrus peuvent évoluer en cirro-stratus puis en altostratus, plus gris, plus bas, plus épais, générateurs de pluie.

Cumulus
Ces nuages moutonnés sur fond de ciel bleu sont signes de beau temps tant qu'ils ne changent pas de forme.

Stratus
Bas, gris et peu épais, ces nuages annoncent de longues périodes de bruine. Des vents froids peuvent augmenter la force des précipitations.

Masses d'air

D'énormes masses d'air chaud, froid, sec ou humide déplacées par les vents déterminent les différents types de temps. Deux masses d'air de température et d'origine différentes qui se rencontrent, forment un front dont les caractéristiques vont influencer le temps.

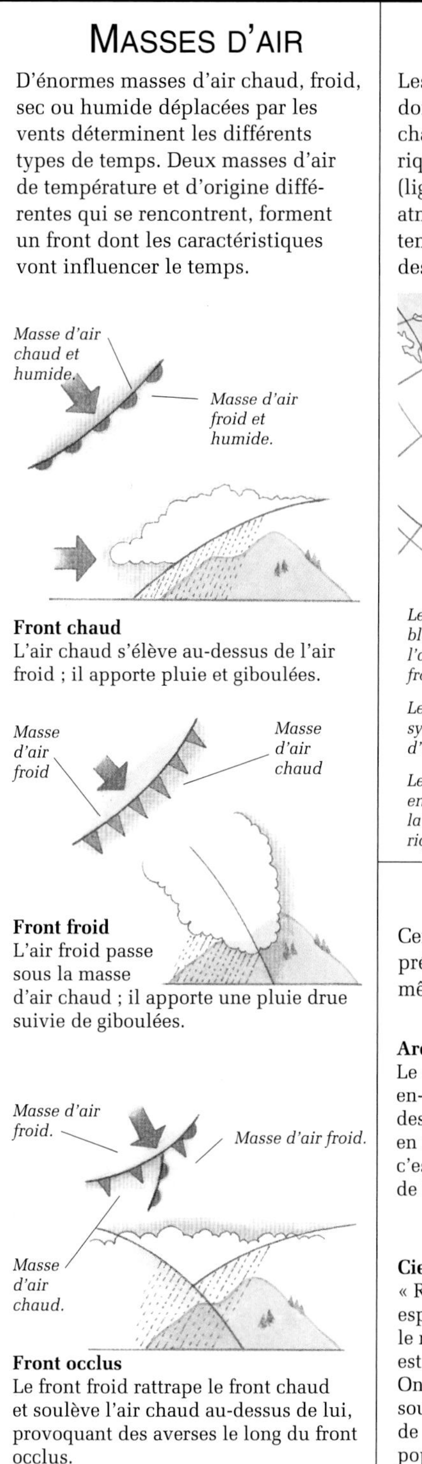

Front chaud
L'air chaud s'élève au-dessus de l'air froid ; il apporte pluie et giboulées.

Front froid
L'air froid passe sous la masse d'air chaud ; il apporte une pluie drue suivie de giboulées.

Front occlus
Le front froid rattrape le front chaud et soulève l'air chaud au-dessus de lui, provoquant des averses le long du front occlus.

Cartes météo

Les météorologues recueillent les données quotidiennes indiquant les changements de pression atmosphérique et tracent des courbes isobares (lignes reliant les points de pression atmosphérique égale) qui leur permettent de prévoir les mouvements futurs des masses d'air.

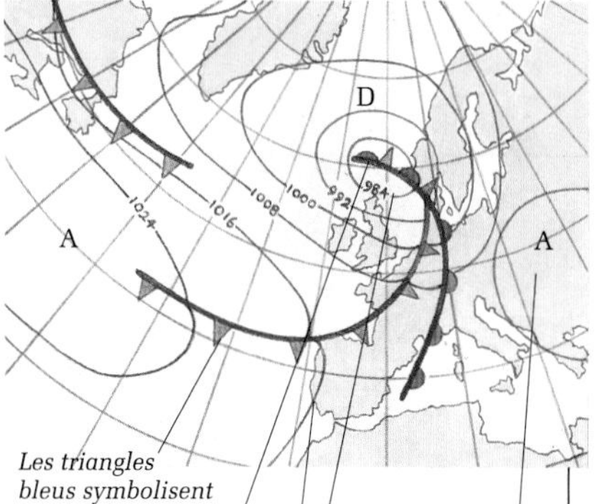

Les triangles bleus symbolisent l'avance d'un front froid.

Les bosses rouges symbolisent l'avance d'un front chaud.

Les isobares relient entre eux les points où la pression atmosphérique est la même.

D (dépression) symbolise une zone de très basse pression.

A (anticyclone) symbolise une zone de très haute pression.

Signes naturels

Certaines personnes sont capables prévoir le temps à la vue, et parfois même à l'odeur, de certains indices.

Arc-en-ciel
Le matin, un arc-en-ciel annonce des averses ; en fin d'après-midi, c'est un signe de beau temps.

Ciel rouge
« Rouge le soir, espoir ; rouge le matin, la pluie est en chemin ». On constate très souvent la justesse de ce dicton populaire.

Préparer un itinéraire

Un itinéraire bien élaboré et bien calculé dans le temps est le secret d'une randonnée réussie. Préparez-le soigneusement en tenant compte des limites qui vous seront forcément imposées par le climat, le terrain et la résistance des autres randonneurs si vous partez en groupe. Étudiez scrupuleusement la carte et discutez avec des gens qui connaissent la région. Prévoyez toujours les sites de campement et les approvisionnements en eau, de même que des divertissements tels qu'escalades ou visites pittoresques.

1 Comme n'importe quelle équipe, un groupe de randonneurs doit avoir un chef prêt à assumer ses responsabilités. Celui-ci doit faire preuve de souplesse sur le choix de l'itinéraire et être prêt à allonger ou raccourcir les étapes, de même qu'à renoncer à emprunter des passages difficiles si certains membres du groupe le demandent. Il peut arriver, même à des randonneurs chevronnés, de défaillir en certaines occasions. Le chef doit rester à l'écoute de chacun et ne pas hésiter à proposer des haltes imprévues en cas de besoin.

2 Repérez vos objectifs principaux. Sur la carte ci-dessous, les itinéraires marqués en rouge sont prévus pour deux jours. Avant de partir, procédez à l'estimation de la distance et de la durée de chaque marche en tenant compte des périodes de repos et des retards éventuels dûs au mauvais temps. Prévoyant un ravitaillement en eau et en nourriture pour la nuit, vous choisirez l'extrémité nord du lac comme site de campement (X). Votre route définitive est donc maintenant marquée en bleu.

Si vous partez en groupe, faites-vous déposer sur le bas-côté d'une route (A).

Camper à l'extrémité nord du lac vous permettra de vous ravitailler en eau sans vous détourner de votre itinéraire.

La route peut se révéler utile pour évacuer un blessé.

Une longue randonnée a l'avantage de vous faire traverser des paysages très variés.

L'escalade d'un sommet (B) offre un but de randonnée très excitant.

Choisissez le bas-côté d'une route (C) pour rendez-vous avec le véhicule qui vous ramènera.

3 Une fois que vous avez déterminé votre point de départ, le site de votre campement, le dernier sommet à escalader et le point d'arrivée de votre randonnée, vous pouvez tracer votre itinéraire en tenant compte des caractéristiques du terrain et des obstacles que vous aurez à éviter. Le premier jour, vous monterez sur une colline que vous redescendrez vers le sud du lac pour traverser le barrage. La crête suivante vous mènera, en une ascension progressive, vers le sommet suivant qui est l'objectif du jour. Ensuite vous redescendrez vers le site du campement (X) en empruntant un sentier sûr qui passe au nord de la falaise.

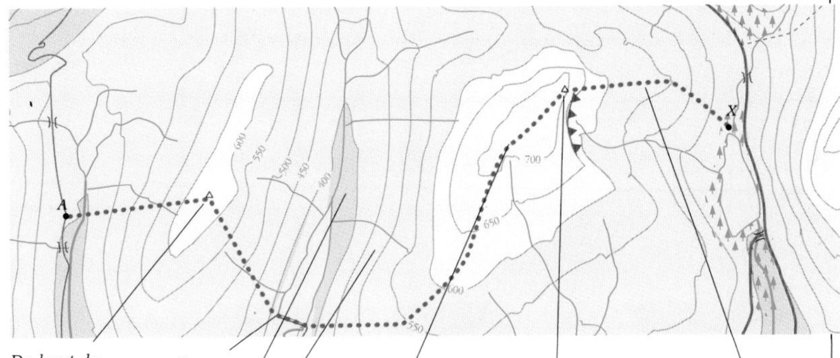

Du haut de la colline, la vue s'étend dans toutes les directions.

Barrage

Évitez le côté nord de la vallée qui risque d'être très humide.

Les versants de la vallée sont plus humides que les crêtes.

Les chemins de crête sont en général très faciles à suivre.

Le point le plus élevé d'une montagne est marqué par un cairn d'où vous pouvez prendre des relèvés.

Suivez la crête jusqu'au campement (X).

4 Le deuxième jour débute par un détour vers le nord pour emprunter le sentier qui conduit au premier sommet puis au deuxième (B). Vous suivez la ligne des crêtes d'où la vue est toujours magnifique puis vous redescendez vers la route. Prévoyez une solution de repli en cas de mauvais temps car il est dangereux de longer des falaises par mauvais temps ; l'itinéraire en pointillé bleu qui contourne les falaises dans la vallée boisée sera plus sûr.

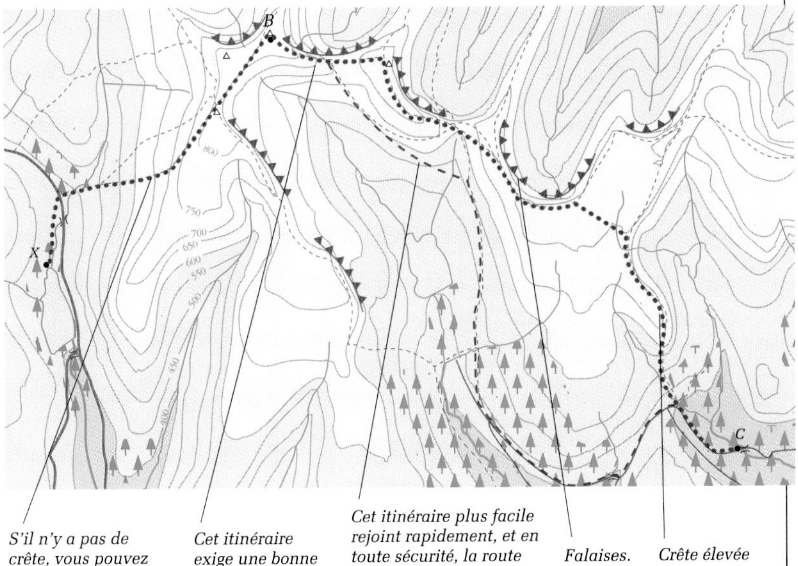

S'il n'y a pas de crête, vous pouvez monter directement au sommet.

Cet itinéraire exige une bonne visibilité, à cause des falaises.

Cet itinéraire plus facile rejoint rapidement, et en toute sécurité, la route (C) ; il est recommandé si l'un des membres du groupe est blessé.

Falaises.

Crête élevée menant jusqu'à la route (C).

Prendre des photos

FACILES À TRANSPORTER DANS UN SAC À DOS, les appareils compacts et ultra-légers présentent l'inconvénient d'être fragiles et munis de piles qui s'usent vite. Un appareil reflex semi-automatique est plus fiable. Tout dépend du poids que vous êtes prêt à porter.

Matériel photo

Emportez l'étui de votre appareil, les couvre-objectifs et de quoi tout nettoyer. Le flash ne s'utilise qu'en intérieur. Un pied peut vous être utile. Enfin, vous avez le choix entre des objectifs à focale variable ou fixe.

OBJECTIF FIXE DE 24 MM

OBJECTIF FIXE DE 52 MM

APPAREIL PHOTO, OBJECTIF FIXE DE 35 MM

TÉLÉOBJECTIF DE 75 À 200 MM

Objectifs
Un objectif de 52 mm offre le même grossissement que l'œil. Un grand-angle (18 à 35 mm), vous donne un plus grand angle de vue. Avec un téléobjectif de 75 à 200 mm, vous pouvez portraits et paysages.

Accessoires
Un sac matelassé est idéal pour ranger votre matériel. Tous vos objectifs seront munis de couvre-objectifs des deux côtés. Prévoyez un filtre à ultraviolets, emportez une brosse soufflante et des petits chiffons.

COUVRE-OBJECTIF

BROSSE SOUFFLANTE

PARE-SOLEIL

FILTRES

SAC MATELASSÉ

SANGLE

Faire de bonnes photos

Les heures les plus favorables pour prendre des photos se situent au coucher du soleil, avant le crépuscule, lorsque les rayons du soleil tombent à l'oblique et baignent le paysage d'une lumière dorée.

Filtres
Un filtre polarisant réduit la lumière qui, réflétée par le sujet photographié, pénètre à l'intérieur de l'appareil : il assombrit les ciels éclatants, efface la brume, atténue les reflets de l'eau, du verre et autres surfaces réfléchissantes. La profondeur du bleu du ciel et la précision de la photo ci-contre sont rehaussées par un filtre polarisant.

Portraits
Vos portraits seront souvent plus intéressants si vous les mettez en valeur devant un fond caractéristique ou ayant un rapport avec le personnage. Même flou, ce fond sera présent.

Pénombre
Le flash casse l'ambiance qu'on voulait saisir. Jouez la lumière naturelle avec un film sensible si la lumière est faible pour avoir des photos ni sous-exposées ni trop noires. Pour un personnage, écartez-vous de la lumière pour régler votre appareil.

Temps d'exposition
La lumière reflétée par la neige et la glace risque de vous faire rater vos photos. Afin d'éviter cet inconvénient, procédez au réglage contre votre main ou augmentez l'ouverture d'un ou deux diaphragmes par rapport à votre luxmètre.

Lever et coucher de soleil
Au moment où le soleil se lève, et se couche, la lumière change d'intensité. Faites des prises de vues avec des ouvertures différentes.

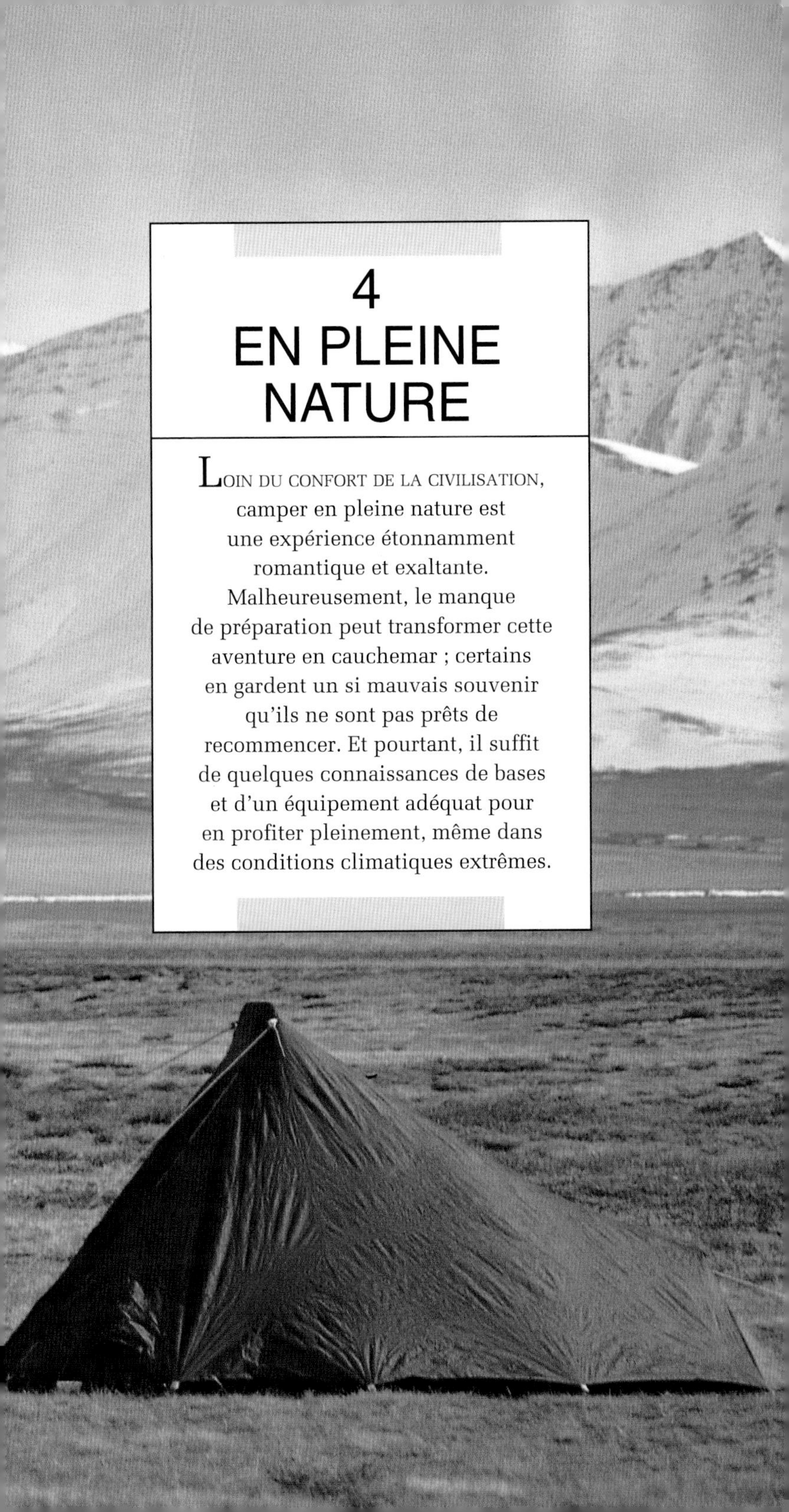

4
EN PLEINE NATURE

LOIN DU CONFORT DE LA CIVILISATION, camper en pleine nature est une expérience étonnamment romantique et exaltante. Malheureusement, le manque de préparation peut transformer cette aventure en cauchemar ; certains en gardent un si mauvais souvenir qu'ils ne sont pas prêts de recommencer. Et pourtant, il suffit de quelques connaissances de bases et d'un équipement adéquat pour en profiter pleinement, même dans des conditions climatiques extrêmes.

Trouver de l'eau

L'EAU EST L'ÉLÉMENT PRIMORDIAL À RECHERCHER lorsqu'on veut installer un campement. Tout randonneur apprend vite à localiser une bonne source. L'idéal est de trouver une eau potable avec laquelle on puisse faire la cuisine et sa toilette. Prenez soin de filtrer et purifier l'eau avant de la boire afin d'éviter d'attraper l'une des maladies citées plus loin.

Les points d'eau

On trouve généralement de l'eau au pied des falaises, dans des trous situés plus bas que la nappe phréatique, sous des lits de rivières asséchés et à la surface de l'eau salée sur les plages.

Glaciers
L'eau des petits torrents nés des glaciers est souvent riche en particules de roches abrasives qui peuvent provoquer des diarrhées. Laissez-la reposer puis filtrez-la avant de la boire.

Falaises
Cherchez de la végétation verdoyante, des mousses ou des fougères ou encore des crevasses situées au pied des falaises qui peuvent laisser s'écouler un petit filet d'eau.

Crevasses
Inspectez les crevasses où l'eau de pluie a pu s'accumuler.

Arbres
Les arbres indiquent la présence de l'eau.

Dunes
Creusez un trou entre les dunes, au point le plus bas, jusqu'au sable humide et attendez que le trou se remplisse d'eau.

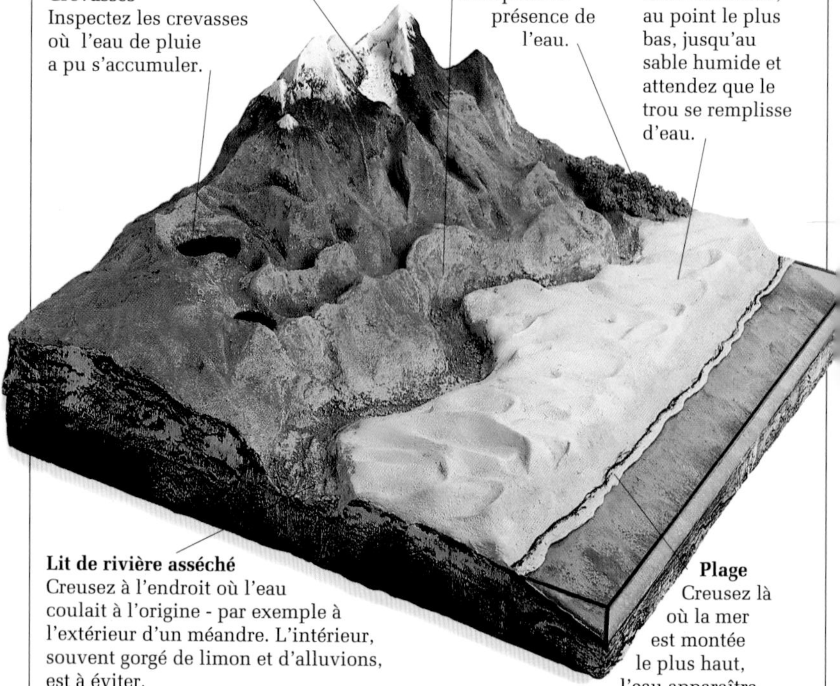

Lit de rivière asséché
Creusez à l'endroit où l'eau coulait à l'origine - par exemple à l'extérieur d'un méandre. L'intérieur, souvent gorgé de limon et d'alluvions, est à éviter.

Plage
Creusez là où la mer est montée le plus haut, l'eau apparaîtra.

FILTRAGE D'EAU IMPROVISÉ

Eau salée
Faites bouillir l'eau, récupérez la vapeur qui s'en dégage sur un tissu. Essorez-le une fois qu'il a refroidi.

Filtre sur trépied
Doublez l'intérieur d'une chaussette par une autre assez fine et doublez l'intérieur de celle-ci d'un mouchoir ou de sable fin. Suspendez le tout à un trépied. Versez dans le filtre improvisé l'eau que vous recueillerez dans une gamelle. Purifiez-la ensuite en la faisant bouillir ou en y ajoutant un comprimé chimique.

MALADIES VÉHICULÉES PAR L'EAU

Si un membre du groupe a contracté une infection, donnez-lui des couverts et ustensiles réservés à son usage strictement personnel et évitez tout contact avec ses excréments et linges souillés.

MALADIES VÉHICULÉES PAR L'EAU

Maladies	Causes	Symptômes
Leptospirose (maladie de Weil)	Transmise à l'homme par l'urine ou les liquides fœtaux d'animaux infectés (rats, bétail, souris, chiens, porcs). Consécutive à une coupure ou un contact avec les muqueuses de la bouche, du nez, de la gorge ou des yeux.	Provoque l'apparition de symptômes rappelant l'état grippal (fièvre, frissons, maux de tête, douleurs musculaires). Symptômes des formes plus sévères : méningite, jaunisse, insuffisance rénale, hémorragies et troubles cardiaques.
Bilharziose (schistosomiasis)	Causée par un ver microscopique infestant les cours d'eau lents. Il peut pénétrer directement dans l'organisme par la peau et se loge dans les intestins. Également transmise par des vers parasites infestant les escargots d'eau douce.	Démangeaisons, urticaires, crises d'asthme, hypertrophie du foie, irritation des voies urinaires.
Dysentrie amibienne	Propagation par voie digestive après absorption d'eau contaminée par des déjections infectées.	Diarrhées avec écoulement sanguinolent et/ou purulent, infection du côlon. Complications : hépatite, abcès du foie et parfois du poumon, perforation des intestins.
Ankylostomes	Larve parasite pénétrant dans l'organisme après absorbtion d'eau infectée ou directement par la peau	Le ver adulte se loge dans les intestins et provoque une anémie ou une léthargie générale. Les larves remontent jusqu'aux poumons par voie sanguine et peuvent provoquer une pneumonie.
Giardiase	Propagée par un parasite (giardia) vivant dans de l'eau contaminée par de l'urine ou des excréments.	Diarrhées et douleurs abdominales. En augmentation en Amérique du Nord, Afrique et Asie.

CHOISIR UN CAMPEMENT

PRENEZ LE TEMPS DE CHERCHER UN EMPLACEMENT SÛR et confortable et organisez-vous de façon à monter la tente et préparer le repas avant la tombée de la nuit. Commencez à penser à votre campement vers le milieu de l'après-midi et assurez-vous, lorsque vous l'avez trouvé, qu'il ne présente aucun danger.

Puisage de l'eau
Puisez toujours l'eau que vous buvez en amont du campement, ainsi qu'en amont des points d'eau des animaux.

Tente
Montez-la sur un terrain plat, sec et abrité.

Latrines
Creusez-les assez loin de la rivière afin d'éviter toute contamination.

Feu
La fumée éloigne les insectes des abords de la tente mais le foyer ne doit pas être trop proche et risquer de l'enflammer.

Vaisselle
Éliminez des assiettes et ustensiles les restes de nourriture qui risqueraient de polluer l'eau et d'attirer des animaux, puis frottez-les avec du sable ou un chiffon avant de les rincer dans une bassine sans utiliser de détergent, nocif pour les poissons.

Lessive
Trempez d'abord vos vêtements dans l'eau puis savonnez-les sur le sol. Rincez-les ensuite dans une bassine d'eau et videz cette eau loin de la rivière.

Campement idéal
La tente est plantée à l'abri d'un bouquet d'arbres qui la protègent des vents dominants sans pour autant risquer de lui tomber dessus. Elle est assez proche d'une source, mais éloignée des points d'eau où s'abreuvent les animaux. Le terrain est plat, sec et ne risque pas d'être inondé.

Arbres
Les arbres fournissent du bois pour le feu ou la construction des abris, mais attention aux branches qui peuvent risquez de s'abattre sur votre tente.

Vents dominants
Observez les arbres pour savoir d'où soufflent les vents dominants. Tournez l'entrée de votre tente dans la direction opposée et creusez les latrines sous le vent par rapport au campement. Choisissez avec soin l'emplacement du foyer.

Méandre
Évitez d'établir le campement sur la berge intérieure d'un méandre car la berge y est généralement plus basse et donc inondable. L'amoncellement d'alluvions à cet endroit où l'eau coule plus lentement est également un facteur d'inondation.

INONDATIONS

Dans les régions montagneuses, un orage violent peut transformer en quelques heures un ruisseau paisible en un torrent tumultueux. Même en période de sécheresse, n'installez jamais votre campement sur le lit d'une rivière : vous risqueriez d'être victime d'une inondation éclair.

TRUCS UTILES

- Par temps de pluie, creusez une rigole autour de votre tente pour évacuer l'eau et éviter ainsi d'être inondé. Par vent violent, renforcez les piquets de la tente avec de grosses pierres.
- Gardez chaque chose rangée à sa place. Vous saurez ainsi où se trouvent vos affaires et pourrez quitter les lieux rapidement en cas d'urgence. Ne laissez jamais de nourriture à l'intérieur de votre tente. Suspendez vos provisions à un arbre, hors d'atteinte des animaux. Vérifiez et aérez toutes vos affaires, avant de refaire votre sac.

S'INSTALLER

AVANT DE PARTIR EN RANDONNÉE, montez votre tente au moins une fois afin de vous assurer qu'il n'y manque rien. Vous devez être capable de la monter même par grand vent. Apprenez à agir vite et de façon ordonnée.

MONTAGE DE LA TENTE

Tirez sur l'œillet pour tendre la toile.

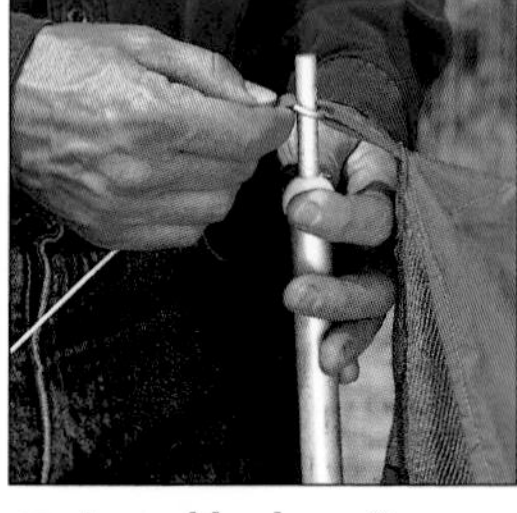

1 Préparez le sol en retirant les pierres et en aplanissant les bosses. Déroulez la tente intérieure, l'entrée tournée du côté opposé au vent. Fixez immédiatement les coins avec des piquets que vous enfoncerez fermement, mais sans les tordre.

2 Assemblez les mâts en prenant garde à l'ordre des éléments. Glissez l'œillet de l'arrière sur le petit mât.

3 Dressez le mât arrière, fixez le tendeur au sol avec un piquet, puis répétez la même opération avec le mât avant. Les deux mâts doivent tenir debout tout seuls.

TRUCS UTILES

- Un sol très dur ou rocailleux risque d'endommager les piquets. Les tendeurs devront alors être fixés autour de grosses pierres.
- Il doit toujours y avoir une couche d'air entre les deux toiles pour l'isolation. Veillez à bien tendre le double toit afin qu'il ne touche pas la tente intérieure car il se formerait alors une condensation qui traverserait la toile.

L'œillet du double toit s'ajuste sur le mât.

4 Montez le double toit en commençant par l'installer sur le mât arrière. Fixez-le au sol. Déployez-le ensuite vers l'avant pour l'installer sur le grand mât. Fixez-le au sol. Vous serez peut-être obligé de déplacer le tendeur de la tente intérieure pour que le mât et le double toit coïncident.

Ajustez les tendeurs sur les piquets.

5 Fermez la glissière du double toit par-dessus le tendeur de la tente intérieure. Vous aurez ainsi un espace couvert pour abriter le matériel. Fixez le tour de la tente intérieure avec des piquets, en veillant à équilibrer les deux côtés.

Équilibez la tension exercée sur le double toit.

6 Fixez le double toit au sol en vous assurant qu'il ne touche pas la tente intérieure.
Ouvrez la glissière de l'entrée et équilibrez toute la structure à l'aide des tendeurs afin qu'elle soit bien tendue et à l'épreuve des coups de vent. Equilibrez la tension exercée sur le double toit.

À L'INTÉRIEUR DE LA TENTE

Organisez l'espace intérieur de votre tente. Ne sortez de votre sac que les objets dont vous avez besoin et rangez-les dès qu'ils ne vous servent plus.

Brosse attachée au piquet de la tente servant à ôter la neige des chaussures et du matériel.

Sacs à dos rangés sous l'avancée de la tente, ou laissés dehors si l'espace est trop restreint.

Lampe fixée au mât avant de la tente à l'aide d'une pince à ressort pour pouvoir lire et faire la cuisine.

Réchaud, ustensiles, eau et provisions sortis pour un usage immédiat (mais rangés la nuit).

Tête des dormeurs vers la porte pour pouvoir sortir plus vite en cas d'urgence.

Objets de valeurs rangés sous l'oreiller (un pull-over roulé) afin de pouvoir être saisis rapidement en cas d'urgence.

Chaussures au fond de la tente (ou à l'intérieur du sac de couchage si la température descend en dessous de zéro).

Vêtements rangés au centre, à l'endroit le plus à l'abri de la condensation.

Vêtements imperméables rangés sur le côté puisqu'ils ne craignent pas l'humidité dûe à la condensation.

ALLUMER UN FEU

POUR RÉUSSIR UN FEU, IL FAUT RÉUNIR au préalable un certain nombre d'éléments, tous bien sec. Vous devrez disposer de combustibles de tailles différentes, allant de la petite brindille à la grosse branche.

ÉLÉMENTS DE BASE

Commencez par allumer votre feu avec du très petit bois puis attendez qu'il ait bien pris pour l'alimenter progressivement en bois plus gros.

Amadou
L'amadou est un élément indispensable à moins que vous ne disposiez d'un allume-feu tout près, un bloc de paraffine par exemple.

Petit-bois
Brindilles, tiges de feuilles séchées, petits bouts de bois peuvent être ajoutés au feu lorsqu'il commence à flamber.

Branches
Dès que le petit-bois a pris feu, vous pouvez ajouter des branches de l'épaisseur d'un doigt.

Combustible principal
On peut utiliser des branches plus épaisses mais faciles à briser en plusieurs morceaux.

Gros combustible
Les bûches servent à entretenir le feu pendant la nuit. Veillez à ce qu'elles soient entièrement consumées lorsque vous éteignez le feu.

COMBUSTIBLES

HOUX

PIN

Combustibles pour la chaleur
Les bois tendres tels que le frêne, le pommier et le houx brûlent vite et dégagent beaucoup de chaleur. Ils sont très utiles pour alimenter le feu. Mais ils produisent aussi beaucoup d'étincelles et donnent plus de cendres que de braises.

CHÊNE

HÊTRE

Combustibles pour la cuisson
Les bois durs tels que le chêne, le hêtre, l'érable, le bouleau, le noyer et le sycomore brûlent lentement en produisant une chaleur intense et de bonnes braises utiles pour les cuissons lentes et apportent une saveur particulière aux aliments.

CROTTES SÉCHÉES

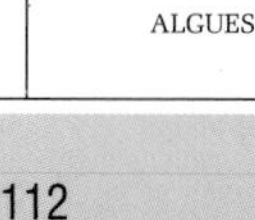

ALGUES

Combustibles d'urgence
Faute de bois, il est toujours possible d'utiliser des crottes d'animaux, du lichen, de la mousse, de la bruyère et même des blocs de tourbe pourvu qu'ils soient bien secs. Au bord de la mer, les algues séchées peuvent également servir de combustible.

Bois à éviter

Certains résineux, comme le pin et l'épine noire, crépitent très fortement lors de la combustion. Évitez-les si possible. D'autres bois tels que l'aulne, le chataîgnier, le peuplier et le saule brûlent mal et ont tendance à se consumer. Le bambou risque d'éclater à la chaleur s'il n'a pas été préalablement fendu.

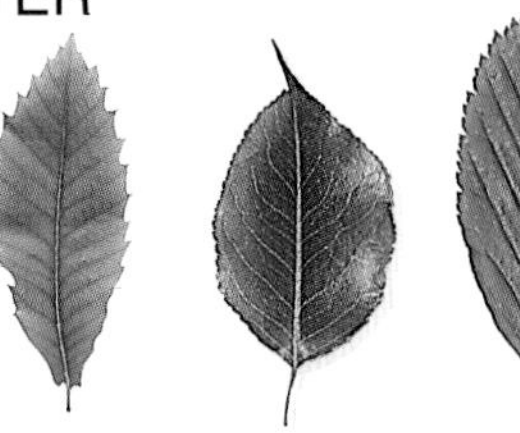

Types d'amadou

Champignons
La chair tendre, sèche et duveteuse de ce champignon, polypore croissant sur les arbres, constitue un excellent amadou. Vous devez le peler pour en récupérer la chair.

Herbes sèches
Un petit faisceau d'herbes sèches s'enflammera très facilement.

Écorce
Par temps humide, l'intérieur de l'écorce des arbres morts, souvent sec, et la poussière produite par les insectes peuvent servir à démarrer un feu.

Mousse
La mousse desséchée, fine et dense, constitue un excellent amadou. On en trouve sur les troncs et les sols bourbeux.

Feuilles mortes
Les feuilles peuvent s'utiliser telles quelles ou broyées pour allumer le feu. Conservez celles dont vous ne vous servez pas dans un sac étanche.

Préparer l'amadou

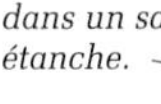

Pulvériser
Réduisez en particules aussi fines que possible des morceaux d'écorce et de bâtons secs à l'aide d'un couteau.

Le feu se propage à la surface.

Entailler
Découpez une profonde entaille dans un champignon polypore. Une braise incandescente déposée à cet endroit mettra le feu à l'ensemble.

Émietter
Frottée contre une pierre ou écrasée en fibres très fines, l'herbe sèche constitue un amadou hautement inflammable.

Différents types de feu

Pour réussir un feu, assurez-vous que vous avez suffisamment de petits bois et de bûches pour le faire prendre progressivement. La sécurité doit toujours être votre préoccupation principale.

Creusez une tranchée de 30 cm de profondeur pour abriter le feu du vent.

Feu en tranchée
Le feu en tranchée est idéal pour la cuisson par tous les temps. La tranchée empêche le feu de brûler trop violemment dans le vent tout en assurant une ventilation suffisante, et elle économise le combustible.

Feu en croix
Placez quatre bûches en croix au centre du foyer et rapprochez-les du centre au fur et à mesure qu'elles brûlent. N'utilisez ce type de feu que dans un campement de longue durée afin de pouvoir être sûr que les bûches seront entièrement consumées lorsque vous partirez.

Feu en tipi

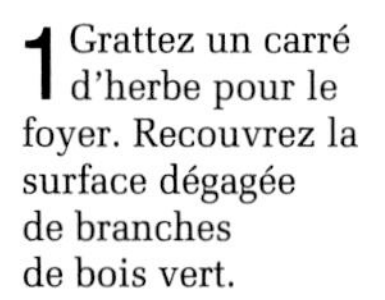

1 Grattez un carré d'herbe pour le foyer. Recouvrez la surface dégagée de branches de bois vert.

2 Commencez à construire le tipi avec quatre bouts de bois placés en équilibre. Le cône n'a pas besoin d'être très grand au départ.

Ouverture pour placer l'amadou.

3 Construisez progressivement le tipi qui doit être le plus stable possible pour ne pas s'effondrer dès que vous allumerez le feu. Faites-le assez grand de façon à laisser de l'espace pour y placer l'amadou, ainsi qu'une ouverture sur le côté pour y glisser l'allumette.

4 Placez l'amadou à l'intérieur, sur le sol du tipi, puis enflammez-le à l'aide d'une allumette. Tenez l'allumette en place jusqu'à ce que le feu ait pris puis ajoutez encore de l'amadou, des feuilles, des brindilles en prenant soin de ne pas bousculer le tipi.

5 Avec la chaleur, le cône prend feu à son tour et finit par s'effondrer sur lui-même, formant des braises incandescentes auxquelles on peut rajouter du combustible pour se chauffer ou faire la cuisine.

Mains en coupes autour de l'allumette.

ALLUMER UN FEU

Par temps sec, lorsque l'amadou et le petit bois sont secs, une allumette suffit à allumer le feu. Mais il est prudent de se munir d'autres accessoires très utiles lorsqu'il pleut.

Un allume-feu qui brûle pendant plusieurs minutes se montrera plus efficace qu'une simple allumette qui a de fortes chances de s'éteindre avant d'enfammer la moindre brindille.

Allumettes
Grattez la cire de la tête de l'allumette avant utilisation.

Ouate
La ouate trempée dans la paraffine est une alternative à l'amadou.

Paraffine
Ces blocs peuvent servir à enflammer des branchages sans amadou.

Bâtonnets
Ces copeaux enduits de produits chimiques sont efficaces.

REPAS DE RANDONNÉE

COMMENCEZ PAR PRENDRE LE MATIN un petit déjeuner copieux et terminez, le soir, par un dîner chaud que vous aurez le temps de digérer la nuit. Entre les deux, des en-cas fréquents, accompagnés de beaucoup d'eau ou de boissons chaudes, seront suffisants à vous maintenir en forme.

Eau chaude
Prenez, dès votre réveil, une boisson chaude. Faites chauffer l'eau dans un récipient couvert afin d'économiser le combustible. Évitez de la porter à ébullition si ce n'est pas nécessaire.

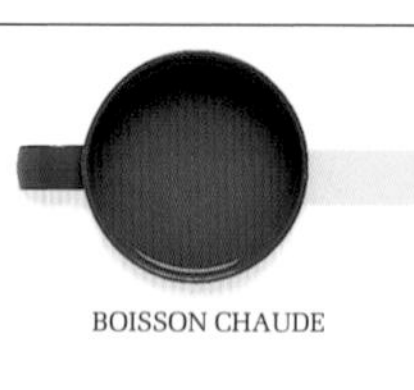

BOISSON CHAUDE

CÉRÉALES

Petit déjeuner
Préparez-vous ensuite des céréales, très énergétiques, additionnées de fruits secs. Laissez tremper les céréales. S'il reste de l'eau chaude, conservez-la pour une deuxième boisson chaude après le petit déjeuner.

BOISSON CHAUDE

CHOCOLAT ET BISCUITS

BOISSON CHAUDE

FRUITS SECS

EAU

Pauses
Mangez peu et souvent afin de garder vos forces intactes sans avoir à vous arrêter pour préparer un repas qu'il vous faudra ensuite digérer.
Par temps froid, ne quittez jamais le camp sans emporter une boisson chaude dans votre thermos. Ne vous étonnez pas d'avoir besoin d'un remontant peu après le petit déjeuner : la digestion brûle de l'énergie. Sucrez abondamment vos boissons chaudes pour les rendre énergétiques. Pensez à parfumer le thé avec des feuilles de menthe.

SUCRE

THÉ

MENTHE

Déjeuner

Beaucoup de randonneurs observent deux pauses « déjeuner » dans la journée pendant lesquels ils se reposent, boivent et mangent un peu. Par temps froid, la soupe chaude dans laquelle on écrase quelques biscuits salés est la bienvenue. Il est très important de maintenir un taux de sucre assez élevé dans le sang afin d'éviter les accès de faiblesse et les sensations de froid.

SOUPE CHAUDE ET BISCUITS SALÉS

Dîner

Composez des dîners variés et copieux. Commencez par bien faire tremper les aliments déshydratés tels que les lentilles pour préparer des ragoûts sinon ils absorberont l'eau de votre appareil digestif et vous souffrirez de constipation. Beaucoup de randonneurs font durer le dîner au maximum, pour se relaxer et pour en profiter pleinement.

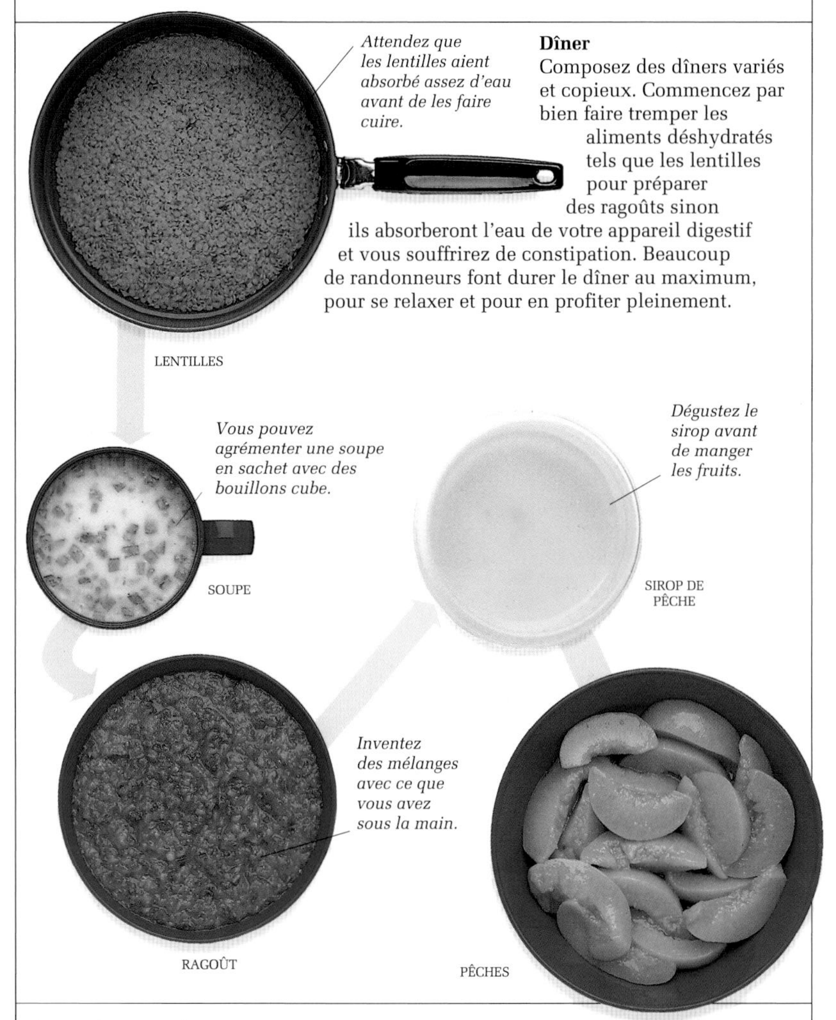

Avant de se coucher

Buvez beaucoup juste avant d'aller dormir afin de prévenir tout risque de déshydratation. Il est préférable d'être réveillé le matin par une vessie pleine plutôt que par la soif et une indigestion causée à la fois par la transpiration de la veille et l'absorption d'aliments lyophilisés. S'il fait froid, buvez une boisson chaude et sucrée. Un bon conseil : remplissez votre thermos d'eau chaude pour pouvoir vous préparer une boisson chaude le lendemain matin sans avoir à sortir de votre sac de couchage.

BOISSON CHAUDE

FAIRE LA CUISINE

RÉSERVEZ-VOUS POUR LE DÎNER que vous aurez tout le temps de préparer. Les ragoûts, préparés avec beaucoup d'eau, sont toujours les bienvenus après l'effort. Agrémentez-les d'herbes aromatiques et d'épices variées pour les rendre succulents. Ne jetez jamais de nourriture : mangez tout ce que vous avez préparé.

RAGOÛTS

Vous pouvez composer des mélanges intéressants avec les différents ingrédients que vous avez emportés. Occupez-vous d'abord des aliments qui ont besoin à la fois de tremper et d'une cuisson prolongée. Organisez-vous pour que tout soit cuit en même temps. Vous pouvez épaissir le ragoût en ajoutant du fromage ou une portion de repas déshydraté. Faites bien tremper les aliments déshydratés avant cuisson pour que même les morceaux les plus gros soient complètement réhydratés.

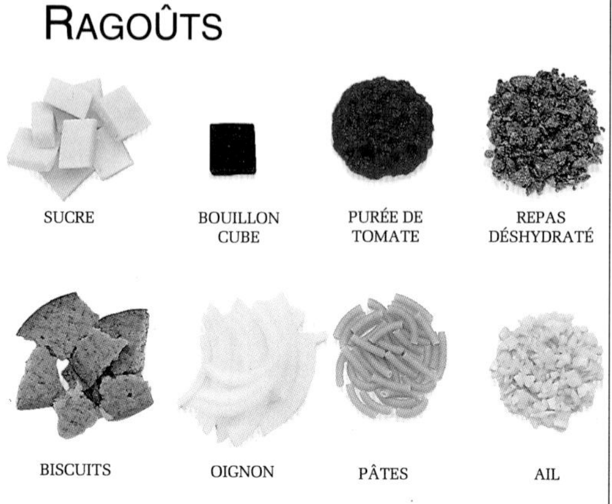

SUCRE — BOUILLON CUBE — PURÉE DE TOMATE — REPAS DÉSHYDRATÉ

BISCUITS — OIGNON — PÂTES — AIL

POIVRE

SEL

HERBES

PIMENT

CONDIMENTS

Le poivre, les épices et les herbes aromatiques ne pèsent rien dans un sac à dos et donnent beaucoup de saveur aux ragoûts. Beaucoup de randonneurs emportent toujours avec eux des épices et un peu d'huile. Il est facile de conserver des piments frais, de l'ail, du gingembre dans des boîtes hermétiques.

POIVRE

NOIX DE MUSCADE

CANNELLE

AIL

REPAS DÉSHYDRATÉS

Il suffit d'ajouter de l'eau chaude dans le sachet des repas déshydratés pour les consommer. Il est même possible de refermer le sachet hermétiquement pour l'emporter avec soi.

RIZ

ŒUF

REPAS DÉSHYDRATÉS

CURRY DE POULET

Cuisson du poisson frais

Mangez le poisson tout de suite après l'avoir pêché, sinon conservez-le vivant dans un trou d'eau. Le poisson cuit plus vite que la viande ou les légumes. Faites-le griller sur un feu de bois pour lui donner plus de saveur.

1 Fabriquez un trépied en assemblant trois bâtons par leur sommet. Attachez autour de ce trépied trois branches vertes, lentes à se consumer, sur lesquelles vous en disposerez d'autres pour former la grille.

2 Creusez une tranchée dans le sol et allumez un feu en tipi.

Attendez qu'il n'y ait plus de flammes pour installer le trépied.

3 Laissez brûler complètement le tipi et ajoutez du combustible jusqu'à ce que vous obteniez un lit de braises assez épais pour dégager une chaleur suffisante pour la cuisson mais attention, le trépied, lui, ne doit pas brûler.

4 Si vous pouvez maintenir le dos de la main au-dessus du lit de braise, c'est le moment d'installer le poisson vidé sur la grille du trépied et de poser le tout au-dessus des braises.

Tournez le poisson dès qu'un jus blanchâtre s'en échappe.

5 Faites cuire le poisson sans le laisser brûler. Retournez-le au moins une fois.

Boissons

Ajoutées à de l'eau bouillante, ou au thé, certaines plantes donnent une boisson à la fois nourrissante et désaltérante C'est le cas de la menthe, de l'eucalyptus et du cynorhodon.

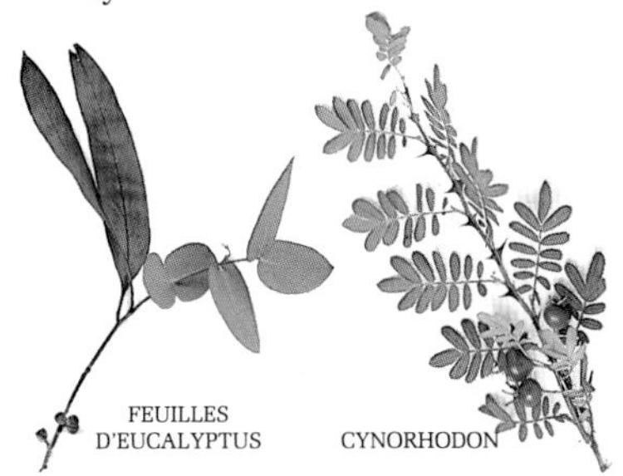

UN CAMPEMENT SÛR

IL EST IMPORTANT DE RESPECTER CERTAINES RÈGLES DE BASE pour garantir la sécurité d'un campement après en avoir choisi soigneusement le site. Le feu représente le plus grand danger. Ne cuisinez jamais à l'intérieur de la tente car d'une part elle pourrait s'enfllammer et, d'autre part, vous risqueriez fort de vous asphyxier.

PRÉCAUTIONS ESSENTIELLES

Beaucoup d'accidents se produisent la nuit en sortant de la tente : on risque de marcher pieds nus sur les restes du feu, de tomber à l'eau, de se blesser dans le noir, de se perdre...

Prévoir les dangers
Une bonne organisation vous permettra d'éviter la plupart des accidents. Observez bien la disposition des lieux pour la garder en mémoire la nuit, rangez vos affaires et protégez d'une corde les endroits dangereux.

Seau de sable prêt à éteindre le feu.

Corde menant aux latrines.

Piquet solidement ancré près du point d'eau.

Une rivière est toujours dangereuse.

CONSTRUCTION DES LATRINES

Écran de feuillage pour l'intimité.

Corde de sécurité autour des latrines.

Assise de rondins.

Creusez les latrines sous le vent par rapport à la tente. Jetez-y de la terre après chaque utilisation. Évitez les produits chimiques qui empêchent la destruction naturelle des matières fécales et accentuent le développement des odeurs.

Animaux dangereux

Sachez que votre campement peut être visité par toutes sortes d'animaux. La plupart d'entre eux étant attirés par l'odeur de la nourriture, enfermez vos provisions dans des boîtes hermétiques. Ne donnez jamais à manger à un animal sauvage, quel qu'il soit.

Mouche noire
Chassez les mouches noires, leurs mâchoires sont capables de vous mordre.

Fourmi
N'installez pas votre campement sur une fourmilière ou sur leurs passages.

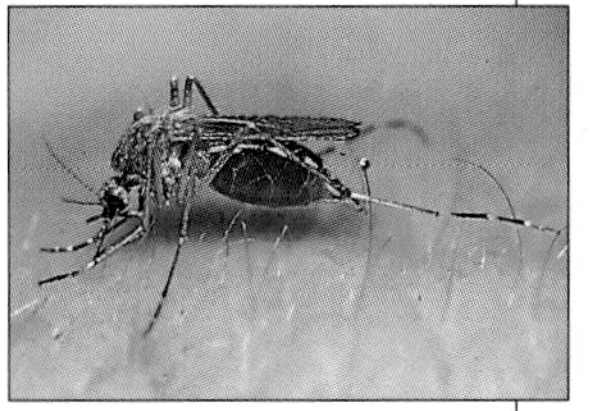

Moustique
À l'aide d'un produit anti-moustiques, assainissez votre tente, le soir.

Scorpion
Secouez sac de couchage, chaussures et vêtements dans lesquels ils aiment particulièrement se cacher.

Serpent
Vérifiez toujours qu'aucun serpent n'est venu se glisser dans votre tente et votre sac de couchage.

Mulots et rats
Ne laissez pas traîner de nourriture : les rats la trouveraient et reviendraient en chercher.

Ours
Ne donnez jamais à manger à un ours. Ce sont des animaux qui peuvent devenir violents.

Putois
Si vous apercevez un putois, éloignez-vous. Il sécrète un liquide nauséabond et désagréable.

Singe
Évitez de jouer avec les singes dont les morsures peuvent parfois vous empoisonner.

Protection des aliments

Rangez votre nourriture hors de portée des insectes, oiseaux et mammifères en la suspendant à une branche. Fabriquez un support avec un morceau de moustiquaire roulé et lié aux deux extrémités et glissez-y une assiette qui servira de fond. Cette méthode ne doit être utilisée que pour mettre à l'abri les aliments que l'on va consommer le jour même.

Lever le camp

Fixez-vous une heure de départ et organisez-vous de façon à respecter cet horaire. Par mauvais temps, démontez les tentes en dernier afin de pouvoir en profiter jusqu'au dernier moment. Chacun doit être conscient qu'il est toujours très désagréable d'attendre des retardataires.

Nettoyer le camp

Lorsque vous quittez un site, aucune trace de votre passage ne doit être visible. Ne laissez aucun détritus ni reste de nourriture qui pourraient attirer des insectes. Emportez avec vous vos déchets, y compris les déchets humains si vous n'avez pas pu creuser de latrines. De cette façon, vous préservez la nature pour les visiteurs à venir.

Démontez votre tente en dernier et quittez le site dès que votre équipement est entièrement empaqueté.

Les latrines doivent être comblées, recouvertes de mottes d'herbe.

Veillez à éteindre parfaitement le feu. Dispersez les cendres et enterrez-les dans le sol. Ne laissez traîner aucun débris.

Emballez vos déchets dans des sacs en plastique et emportez-les avec vous.

Effacer votre présence
Votre passage sur le site ne doit provoquer aucune détoriation de ce dernier. Il ne suffit pas de cacher ses déchets. Des animaux les trouveront et les éparpilleront. Un endroit impeccable incitera les futurs visiteurs à le nettoyer avec autant de soin que vous l'avez fait. En agissant ainsi, vous protégez la nature.

TRUCS UTILES

Ouvrez vos boîtes de conserves des deux côtés et, une fois vidées, faites-les brûler dans le feu pour les nettoyer. Aplatissez-les ensuite, glissez les deux couvercles à l'intérieur : elles prendront moins de place.

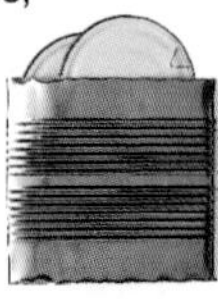

NETTOYER LE FOYER

1 Lorsque le feu vient de mourir, rassemblez les restes au centre et réduisez-les en cendres. Une fois les cendres refroidies, dispersez-les et enterrez-les bien.

2 Assurez-vous qu'il ne reste plus de cendres et recouvrez le foyer de terre. Lissez-le puis replacez les mottes d'herbe que vous aviez enlevées pour constituer le foyer.

3 Rebouchez les bords avec de la terre pour en effacer la trace. Dispersez des feuilles et de l'herbe sur l'emplacement du foyer afin qu'il ne reste plus de trace.

DÉMONTER LA TENTE

Prenez l'habitude de démonter votre tente en dernier, juste avant de partir. Par temps froid ou humide, il est utile de garder un abri le plus longtemps possible avant de se mettre en marche afin d'éviter d'attraper froid.

1 Retirez tous les piquets du double toit et de la tente intérieure en tenant la toile pour qu'elle ne s'envole pas s'il y a beaucoup de vent. Maniez les piquets avec soin : ne les enlevez jamais en tirant sur les tendeurs ou les élastiques et comptez-les toujours.

2 Démontez les mâts en les essuyant avant de les ranger dans leur sac.

3 Enlevez le double toit en le tenant par les oeillets supérieurs. Assurez-vous qu'il n'est pas humide puis pliez-le par le milieu et posez-le par terre.

4 Roulez le double toit en le serrant au maximum ; repliez les côtés et les tendeurs au centre. Secouez ensuite la tente intérieure, pliez-la et roulez-la. Vérifiez que les tendeurs ne sont ni noués ni emmêlés avant de les rentrer dans la tente roulée.

5 Rangez en premier les mâts et les piquets dans leurs sacs respectifs puis le double toit et la tente dans le grand sac.

5
FACE AUX DANGERS

LA RANDONNÉE PEUT ÊTRE un cauchemar lorsque tout commence à aller mal. Évitez donc de vous exposer au danger et de prendre des risques inutiles. Une blessure bénigne pouvant malheureusement dégénérer en catastrophe, vous devez connaître les gestes qui peuvent sauver. En pleine nature, vous ne dépendez que de vous et c'est à vous, et vous seul, de savoir résoudre vos problèmes.

Conditions extrêmes

Les brusques variations de température ou de pression atmosphérique peuvent entraîner des perturbations climatiques extrêmes. Il existe des signes annonciateurs de ces perturbations, comme l'état du ciel ; mais il est préférable de se munir d'un petit poste de radio et d'écouter les bulletins météo.

Météo dans le monde

Les perturbations climatiques extrêmes sont fréquentes dans certaines régions, très rares ailleurs. La prévision météorologique consiste à anticiper le mouvement des énormes masses d'air prêtes à s'affronter. La précision des prévisions dépend principalement du nombre de masses d'air en présence.

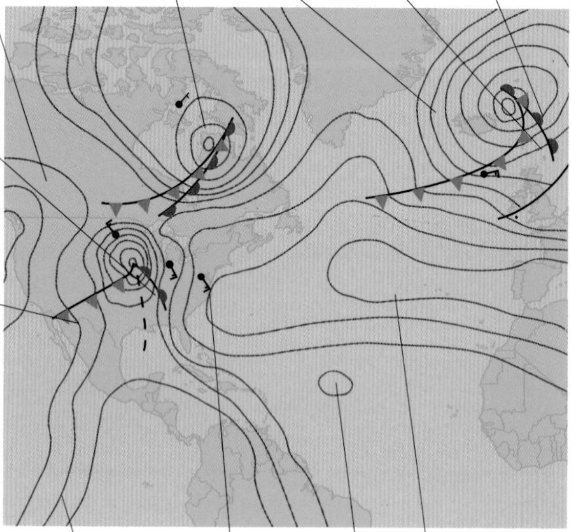

Beau temps dû à une haute pression bloquant la pollution.

Blizzards.

Dépression accompagnée d'un temps couvert.

Front occlus : les fronts froids rejoignent les fronts chauds avant de les repousser en altitude.

Tempêtes en Atlantique.

Lignes de rafales de vent probablement suivies de tornades.

Lignes dentées indiquant que des fronts d'air froid et lourd soulèvent des masses d'air chaud.

Prévisions météo
Cette carte météorologique illustre toutes les conditions extrèmes. Quand toutes les informations disponibles ont été reçues des stations et des satellites, elles sont transcrites sur la carte. Elles permettent en général de faire des prévisions sur une semaine.

Les isobares relient des points de pression atmosphérique égale.

Symbole indiquant la direction et la force du vent.

Anticyclone, ou haute pression stable accompagnée de beau temps, ciel dégagé et cumulus.

Un ouragan est indiqué par une isobare isolée d'air chaud à faible pression entourée de vents tournoyant à grande vitesse.

TEMPÊTES

Ouragans, tornades et cyclones peuvent se produire n'importe où et n'importe quand. Cependant, dans certaines régions, il est prudent de se renseigner à l'avance sur les périodes où ils sont le plus fréquents.

Tornade
Une tornade se développe lorsque l'air chaud à basse pression s'élève à la rencontre de vents en altitude. Cela crée un tourbillon qui peut atteindre la vitesse de 620 km/h. Si vous êtes dehors, abritez-vous dans une grotte, ou couchez-vous dans un fossé, les mains sur la tête. À l'intérieur d'une maison, fermez les portes et les fenêtres du côté de la tornade et ouvrez celles du côté opposé. Ne restez pas dans les véhicules.

Ouragan
Un ouragan est une tempête tropicale provoquée par de l'air chaud qui monte de la mer, créant des vents à basse pression. Si vous voyez un ouragan approcher, évitez les zones côtières et les fleuves et abritez-vous dans une grotte. À l'intérieur, rangez les objets qui pourraient être soufflés par le vent et vous blesser. Clouez des planches sur les fenêtres et mettez-vous à l'abri.

PLUIES TORRENTIELLES

Les pluies torrentielles soudaines saturent le sol et l'empêchent d'absorber l'eau. Les zones de basse altitude sont les plus exposées aux inondations. Vous avez donc intérêt à les éviter si de fortes pluies sont annoncées.

Inondation
Les inondations sont les plus dévastatrices dans les régions très sèches où le sol est immédiatement saturé. Il est très dangereux de s'aventurer à pied ou en voiture dans une région inondée. Aussi, emportez avec vous le maximum d'eau potable, de la nourriture, des allumettes et de quoi vous coucher et réfugiez-vous sur une hauteur ou dans les étages d'un bâtiment. Si la maison dans laquelle vous vous êtes réfugié ne risque pas de s'écrouler, n'en bougez en attendant la décrue, ou des secours.

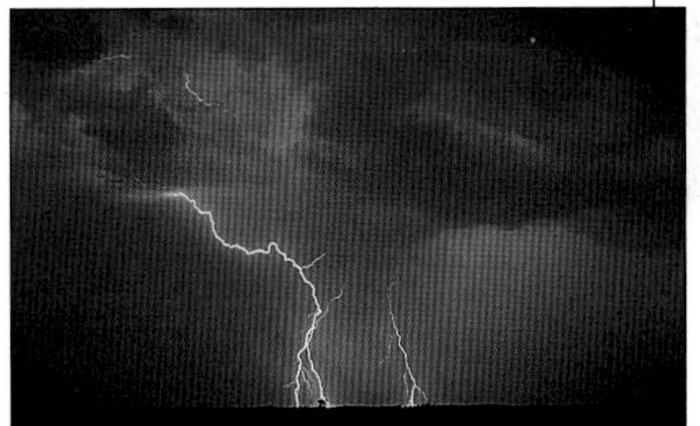

Orage magnétique
Lorsque de l'air chaud ascendant rencontre de l'air froid, l'agitation violente de gouttes d'eau crée de l'électricité statique. Cette électricité à très haute tension lance des éclairs entre les particules d'eau et frappe le premier objet qu'elle rencontre au sol en prenant la trajectoire la plus favorable. Portez des semelles de caoutchouc et choisissez pour vous asseoir un objet isolant. Éloignez-vous de toute structure élevée ou métallique. La foudre génère d'énormes éclairs, une onde de choc et une chaleur intense qui peuvent blesser des personnes sans même les toucher.

CONSTRUIRE UN ABRI

UN ABRI VOUS PROTÉGERA de la pluie, du vent et du soleil. Vous pouvez être amené à en construire un en cas d'urgence ou simplement pour servir d'annexe à votre tente. Dans la jungle, où il faut éviter de dormir à même le sol, un abri triangulaire est beaucoup pus confortable qu'un hamac.

ABRI SIMPLE

Les abris improvisés étant fragiles, choisissez l'emplacement le plus abrité ; érigez au besoin un mur de pierres pour le protéger du vent. Utilisez tous les matériaux dont vous pouvez disposer.

Bras tendu, comptez encore 60 cm avant de couper la branche faîtière.

1 Pour construire un abri en appentis, coupez une longue branche qui fera office de faîte du toit.

Pour en calculer la longueur nécessaire, levez le bras, tendu à la verticale le long de la branche, et ajoutez 60 cm. Choisissez une branche aussi droite que possible. Evitez le bois mort qui risquerait de se casser.

2 Coupez deux supports en Y vous arrivant à peu près à la hauteur du nez, dont vous taillerez en pointe les bouts destinés à être enfoncés dans le sol.

3 Enfoncez les supports dans le sol sur environ 30 cm à l'aide d'une grosse pierre afin qu'ils soient bien stables, en les séparant de façon à laisser dépasser environ 30 cm de faîte de chaque côté.

Équilibrez la branche sur les supports.

4 Posez sur ses deux supports la branche faîtière qui, tout en étant assez légère, va devoir supporter le poids du toit et résister aux vents violents et aux fortes pluies.

5 Coupez plusieurs branches assez solides et assez longues pour reposer sur le faîte en formant avec le sol un angle de 45 degrés. Cette pente rejettera le maximum d'eau de pluie et vous laissera assez d'espace à l'intérieur de l'abri. Disposez les branches tous les 20 cm en les faisant dépasser du faîte d'environ 10 cm.

Tressez les branchages avec la branche faîtière pour renforcer la structure.

6 Coupez une grande quantité de jeunes rameaux droits et souples en leur laissant quelques feuilles. Tressez-les ensuite entre eux afin d'obtenir un treillis résistant.

Des branches tressées forment une structure solide.

7 Continuez à tresser des branchages jusqu'à ce que la densité du couvert vous satisfasse. Vous rajouterez de nouvelles couches lorsque les feuilles se fâneront, en les tressant avec les anciennes. Quand le toit est terminé, vous pouvez améliorer votre abri en assurant le bas du toit à l'aide d'un édifice de grosses pierres, par exemple, ou en lui ajoutant des côtés. Construisez votre abri à une certaine distance du foyer.

MATÉRIAUX ARTIFICIELS

Toutes sortes de matériaux artificiels abandonnés dans la nature peuvent vous faciliter la tâche dans la construction d'un abri et se révéler très efficaces contre la pluie et le vent : morceaux de polyéthylène, sacs de plastique, ficelle d'emballage, plaques de fer galvanisé, boîtes en bois, cartons, contre-plaqué... Ils ont l'avantage d'être plus faciles à travailler que les matériaux naturels.

Abri en A

Dans la jungle, dormir à même le sol est inconfortable et parfois même dangereux. L'abri en A vous éloigne du sol en vous offrant à la fois un toit et un lit confortable ; il est meilleur pour le dos qu'un hamac.

1 Coupez quatre branches droites mesurant 30 cm de plus que vous et trois autres mesurant 120 cm de plus que vous. Prenez deux branches courtes que vous liez en A et fixez à un arbre qui supportera votre abri.

2 Construisez un deuxième A identique au premier et écartez-le de celui-ci d'une distance équivalente à votre taille plus 60 cm.

3 Si cela est possible, fixez également le deuxième A à un arbre. Posez ensuite une des longues branches en travers. Elle reposera sur le sommet des deux A auxquels vous l'attacherez. Cette branche faîtière supportera le toit.

4 Repliez les côtés d'un tapis de sol pour former un tube. Glissez-y les deux dernières branches. En les écartant, vous obtiendrez une « civière » dont vous calerez l'extrémité des montants sur l'extérieur des supports de votre abri.

5 Déployez une bâche étanche de part et d'autre de la faîtière pour le toit. Tendez-la bien des deux côtés et attachez les coins à des arbres. Le toit vous protège de la pluie tout en laissant l'air circuler. Vous pouvez compléter cet abri en le recouvrant entièrement d'une moustiquaire.

INSTALLER UN HAMAC

Les hamacs présentent l'avantage d'être légers et de vous tenir éloigné des animaux, des insectes et de l'humidité du sol. Pour être confortable, il doit être tendu au maximum. Mais malgré cela il s'affaissera à chaque fois que vous monterez dessus.

1 Attachez le hamac entre deux arbres en le tendant. La tête doit être plus haut ou à la même hauteur que les pieds. Prenez la mesure à la hauteur de l'aisselle.

2 Fixez les attaches d'une moustiquaire légèrement au-dessus des cordes du hamac. N'oubliez pas que le hamac va fléchir sous votre poids.

3 Ajoutez le toit : une bâche étanche que vous attacherez à des arbres et déploierez au-dessus du hamac. S'il n'y a pas assez d'arbres, fixez-la à des rochers.

4 Couchez-vous en douceur dans le hamac. La nuit, déployez la moustiquaire dont vous coincerez les bords dans le hamac, sous votre sac de couchage.

PROTECTION DU MATÉRIEL

Dans la jungle, vous devez absolument garder votre matériel à l'abri de l'humidité du sol et des animaux et insectes en maraude. La meilleure solution est de les suspendre hors d'atteinte.

Sac à dos
Fermez toutes les poches de votre sac à dos et supendez-le à une branche avant de vous coucher.

Chaussures
Plantez vos chaussures à l'envers sur des bâtons. Elles sècheront mieux et aucun animal ne se glissera à l'intérieur.

SURVIVRE DANS LA NEIGE

DANS LA NEIGE, IL EST VITAL DE MAINTENIR le corps à une certaine température. N'hésitez pas à enfiler tous vos vêtements avant de ressentir le froid et enveloppez-vous chaudement la tête et le cou. Si vos membres commencent à s'engourdir, massez-les afin d'activer la circulation du sang. La nuit, quand la température extérieure chute de plusieurs degrés, un abri devient indispensable.

ABRI RUDIMENTAIRE

Le type d'abri que vous pouvez construire dépend des matériaux dont vous disposez. Branches et bâtons donnent à l'abri sa structure et sa stabilité mais ce sont les couches de neige qui créent l'isolation.

Trou naturel
Un conifère en surplomb peut offrir un abri tout fait confortable. Essayez de le refermer au maximum mais faites attention de ne pas faire tomber la neige des branches.

Grotte de neige
En cas d'urgence, creusez dans une congère et refermez l'entrée derrière vous avec des blocs de neige. Percez un trou dans la paroi pour pouvoir respirer.

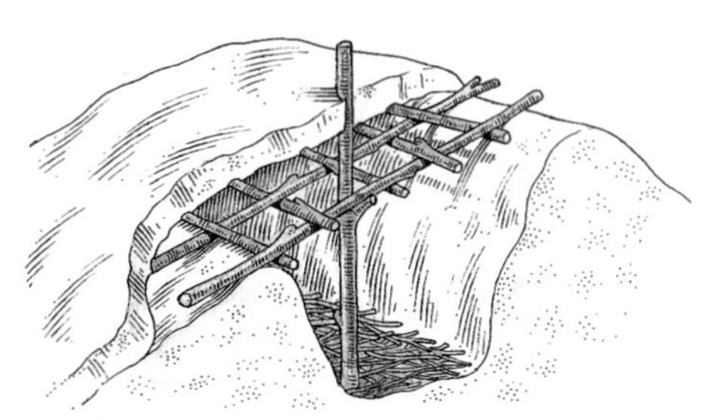

Tranchée
Creusez une tranchée et fabriquez un toit de branches entrelacées sur lequel vous entasserez de la neige. N'oubliez pas de planter une branche à la verticale à travers la couche de neige pour assurer une bonne ventilation.

TRUCS UTILES

- Percez un trou pour assurer la ventilation de votre abri. Les dormeurs peuvent s'asphyxier avec leur propre dioxyde de carbone, et le monoxyde de carbone dégagé par un réchaud est mortel.
- L'air froid descend et se concentre en nappes, comme l'eau. Sur un terrain en pente, creusez des rigoles autour de votre abri pour endiguer l'air froid et le faire descendre au lieu de le laisser s'accumuler sur place.

HUTTE DE NEIGE

Les sacs à dos disposés en cône forment le noyau de la hutte.

1 Disposez les sacs à dos en cône pour constituer le centre de l'abri et commencez à ramasser la neige que vous allez accumuler autour.

L'air, entre les particules de neige, favorise la recristallisation.

2 À l'aide d'une raquette ou d'une pelle, jetez de la neige sur les sacs à dos et tassez-la bien. Laissez-la geler pendant une demi-heure avant d'en rajouter.

Lissez le dôme pour faire durcir la neige.

3 Lorsque l'épaisseur de neige atteint environ 1m, lissez la surface et laissez durcir pendant au moins une heure. Cette étape est importante car elle permet à la neige de se recristalliser et de se solidifier.

Plantez dans le dôme des bâtons de même longueur.

4 Rassemblez plusieurs bâtons d'environ 60 cm et plantez-les dans la neige en les répartissant sur toute la surface du dôme et en les dirigeant vers le centre.

5 Creusez un tunnel sous la paroi de la hutte jusqu'aux sacs à dos que vous sortez. Ensuite, évidez l'intérieur à l'aide d'un récipient jusqu'à ce que l'extrémité des bâtons apparaisse.

LA SOIF ET LA FAIM

EN PLUS DES PROVISIONS PRÉVUES pour la durée de la randonnée, vous devez emporter une journée de rations de secours. Votre itinéraire ayant été étudié en fonction des points d'eau, vous pourrez toujours, au-delà, vous nourrir de plantes sauvages, à condition de savoir les reconnaître.

PLANTES COMESTIBLES

En mangeant des plantes inconnues, vous risquez de vous empoisonner. Examinez-les soigneusement afin de pouvoir les identifier à coup sûr.

Portulaca
Faites mijoter ses feuilles à l'eau et assaisonnez-les d'un jus de citron.

Orpin
Ses feuilles se consomment crues ou cuites, pour assaisonner une soupe.

Nénuphar
Ses graines, un peu amères, sont comestibles ainsi que son tubercule et sa tige.

Epicéa
L'intérieur de l'écorce est riche en vitamine C. Les aiguilles peuvent se faire infuser comme du thé.

Amarante
Les feuilles et les tiges cuites dans de l'eau salée se mangent comme des épinards.

Palmiers
Seules les jeunes pousses de certaines espèces sont comestibles.

Amandes
Rejetez uniquement celles qui sont amères.

Cèpe
Le cèpe est bon mais méfiez-vous si vous n'êtes pas sûr de le reconnaître.

Fraise sauvage
Ne la confondez pas avec le duschenia, fruit mortel des régions tropicales.

COMESTIBILITÉ

En cas d'urgence, vous pouvez éliminer les plantes toxiques à l'aide de ce simple test. Sachez déjà que vous devez éviter toute plante sécrétant un suc blanc. Dessinez sur votre carnet de route les plantes testées.

1 Déchirez la plante et sentez-la. Rejetez toutes celles qui dégagent une odeur de pêche ou d'amande.

2 Frottez doucement la plante sur la saignée du coude pour voir si elle provoque une irritation.

3 Posez-la pendant 5 secondes sur vos lèvres puis sur le coin de la bouche.

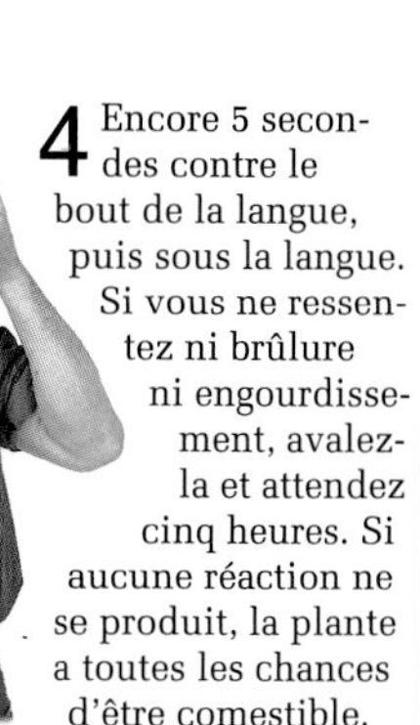

4 Encore 5 secondes contre le bout de la langue, puis sous la langue. Si vous ne ressentez ni brûlure ni engourdissement, avalez-la et attendez cinq heures. Si aucune réaction ne se produit, la plante a toutes les chances d'être comestible.

TROUVER DE L'EAU

Si vous ne trouvez pas d'eau, la pluie ou la rosée peuvent vous fournir assez d'eau pour sur-vivre. Récoltez-la avant l'aube.

Rosée
Recueillez la rosée avec un mouchoir.

Pluie
Recueillez-la dans une bâche étanche et canalisez-la vers un récipient. Restez à côté en cas de forte pluie pour éviter de tout perdre.

GLACE ET NEIGE

Neige et glace peuvent vous apporter un supplément d'eau potable.

Neige
Utilisez la neige des couches profondes, suspendez-la dans un tissu au-dessus d'un récipient posé près d'un feu pour qu'elle fonde doucement.

Glace
Faites fondre la glace sur une pierre posée sur le feu. La glace ancienne, est la meilleure car elle contient beaucoup moins de sel que la nouvelle.

Perdu

On peut tout aussi bien se sentir « perdu » à quelques mètres de son itinéraire initial qu'à plusieurs kilomètres. On peut aussi avoir l'impression de savoir où l'on est et se tromper complètement. Dans ce cas, arrêtez-vous et faites le relèvement de votre position avant d'aller plus loin.

Retrouver son chemin

Il est très facile de s'égarer pendant une randonnée. Si vous connaissez les limites de la zone dans laquelle vous randonnez, vous aurez déjà moins de mal à retrouver votre chemin.

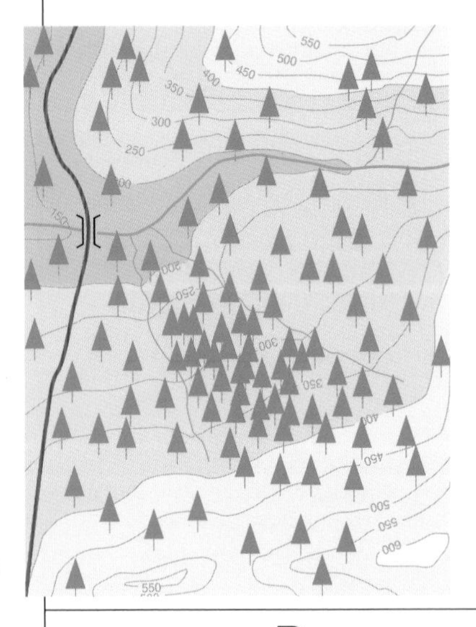

1 Servez-vous de votre carte pour repérer, autour de la zone dans laquelle vous vous trouvez, des limites aisément repérables si vous les franchissez. Dans le cas présenté ici, vous avez une route à l'ouest et une élévation de terrain avec rivière au nord et au sud. Si vous ne franchissez pas ces limites, vous savez que vous vous êtes égaré dans une zone relativement restreinte.

2 Cherchez la limite qui vous semble la plus proche à l'aide de votre boussole. Si vous avez l'impression de vous égarer davantage, revenez sur vos pas, toujours à l'aide de la boussole, et choisissez un autre repère.

Rechercher en spirale

On utilise cette méthode de recherche pour localiser un chemin ou un endroit précis après en avoir fait une approche approximative. Partez d'un point X vers l'un des quatre points cardinaux. Avancez de quelques mètres sans perdre de vue votre point de départ. Comptez vos pas. Si vous n'avez rien trouvé, tournez à 90° sur votre droite et comptez le double de pas avant de tourner à nouveau à droite à 90°. Continuez ainsi en doublant à chaque fois la distance parcourue. Cette spirale finira par vous conduire jusqu'à votre objectif.

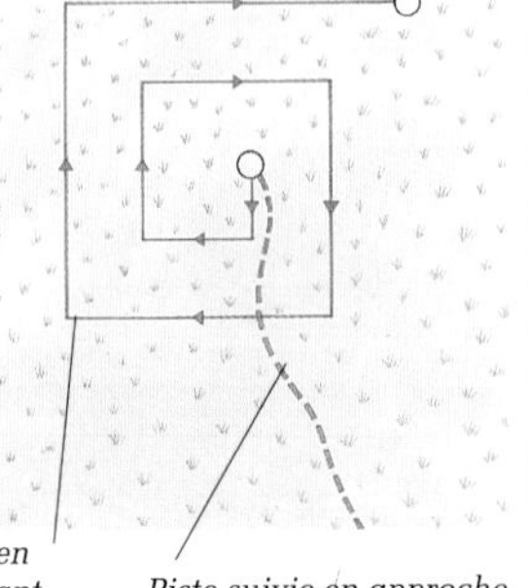

Dessiner une carte

Si vous êtes perdu, dessiner une carte de l'endroit dans lequel vous vous trouvez vous aidera à repérer votre position. Vous pouvez aussi utiliser cette méthode pour pallier le manque d'exactitude de votre carte.

X symbolise votre position.

1 Tracez un quadrillage dont chaque carré est égal à 1 km². Dessinez au centre une croix indiquant votre position.

2 Marchez jusqu'à un point surélevé (ou grimpez sur un arbre) d'où vous pourrez voir trois éléments caractéristiques. Prenez un relèvement par rapport à un repère du terrain et évaluez la distance qui vous en sépare (voir ci-dessous).

Repères.

Nord magnétique.

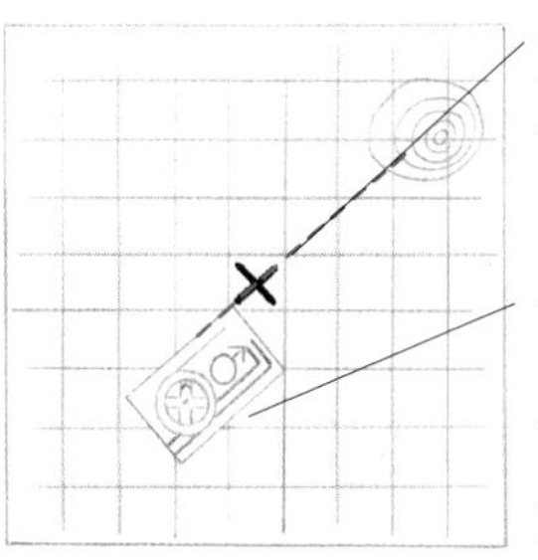

3 Dessinez ce repère sur votre carte dans l'axe nord-sud. Estimez la distance qui le sépare de la colline et dessinez-la.

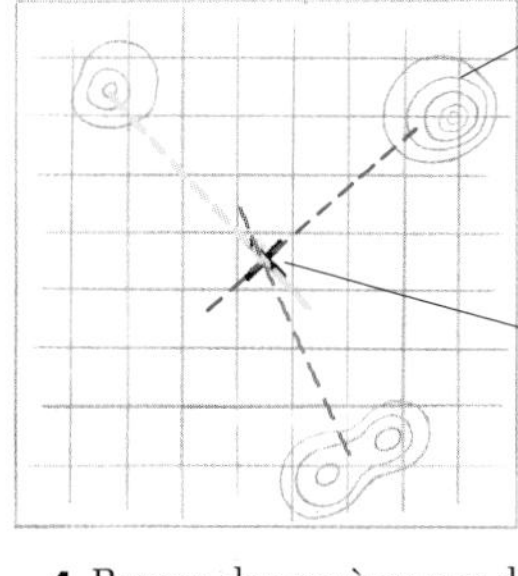

4 Prenez des repères sur deux autres éléments caractéristiques du terrain et reportez-les sur la carte. Votre position est à l'intersection des trois relèvements.

Estimation des distances

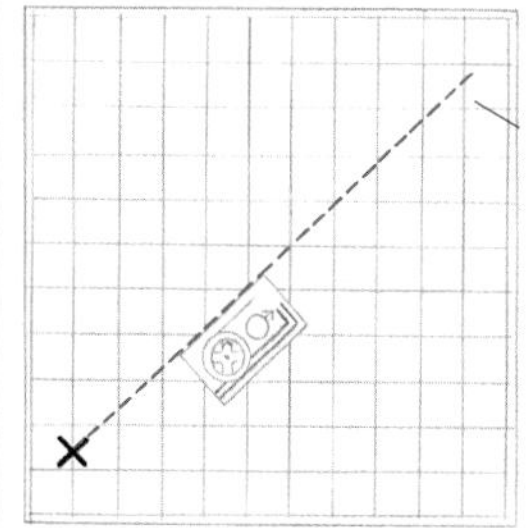

1 L'estimation des distances dépend de l'exactitude de celles que vous avez parcourue en comptant vos pas. Prenez un repère sur un point caractéristique du relief et marquez-le par une ligne droite allant de la croix à ce point.

2 Marchez sur un repère à 45° par rapport au premier, en comptant vos pas, jusqu'à ce que le repère de la colline ait changé de 30°. Notez votre nouvelle position et le nouveau repère.

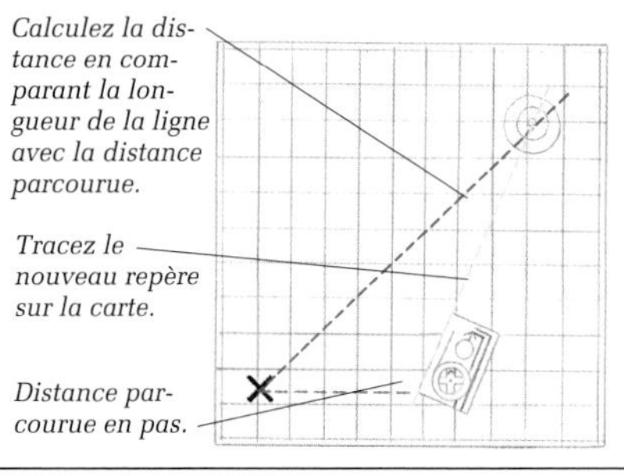

SIGNAUX DE DÉTRESSE

AVANT DE PARTIR, laissez à quelqu'un l'itinéraire de votre randonnée pour que des recherches puissent être organisées très vite si vous ne réapparaissez pas en temps voulu. Apprenez à vous signaler aux équipes de secours, ce qui leur facilitera la tâche et pourra vous sauver la vie.

FUMÉE

Une fumée s'échappant d'un point précis est rarement naturelle et indique donc le plus souvent une présence humaine. Les flammes et les fusées se repèrent facilement d'avion et peuvent déclencher une recherche.

Nuage de fumée
Par temps calme, vous pouvez envoyer des nuages de fumée pour qu'on puisse vous localiser. Mais ce n'est qu'un signal vague.

Fusée éclairante
Utilisez vos fusées éclairantes lorsqu'un avion est en vue, et dans un endroit bien exposé. Vous pouvez les fixer en haut d'une longue perche pour les rendre plus visibles.

SIGNAUX TERRE-AIR

Si vous avez réussi à attirer l'attention d'un avion, utilisez le code des signaux terre-air pour indiquer clairement vos besoins. Réservez-les aux cas d'extrême urgence car les pilotes risquent leur vie pour tenter des atterrissages dangereux.

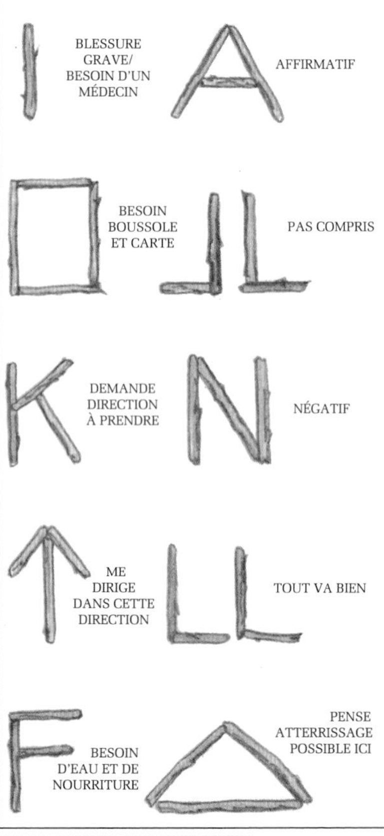

UTILISER LE SOLEIL

Un petit miroir de poche peut servir à réfléchir les rayons du soleil et attirer l'attention. Un reflet de soleil est visible à plusieurs kilomètres, surtout d'avion.

ATTENTION

Capté par un héliographe, même un soleil pâle peut produire un rayon assez puissant pour aveugler le conducteur d'un véhicule ou le pilote d'un avion. Ne l'utilisez qu'en cas d'urgence. Balayez le véhicule ou l'avion dont vous voulez attirer l'attention.

Héliographe
Un héliographe est une surface réfléchissante percée d'un trou en son centre. Beaucoup de kits de survie pour randonneurs en sont équipés. Pointez-le vers le soleil puis orientez le rayon vers le sol. Déplacez ensuite le rayon vers la cible visée. Regarder par le trou vous permettra de diriger ce rayon avec plus de précision.

SIGNAUX POUR HÉLICOPTÈRES

Ces signaux sont utilisés pour guider l'atterrissage d'un hélicoptère. Choisissez un terrain stable sans végétation ni pylone. Veillez à ce qu'aucun objet ne puisse être aspiré par les rotors. Tenez-vous bien droit en exagérant tous les mouvements. Cramponnez-vous lorsque l'hélicoptère atterrit, un pied en avant, prêt à vous écarter.

SURVOLEZ/ BESOIN D'AIDE MÉCANIQUE

DESCENDEZ

(EN AGITANT LE BRAS DROIT) ALLEZ SUR MA GAUCHE

(EN AGITANT LE BRAS GAUCHE) ALLEZ SUR MA DROITE

VOLEZ VERS MOI

VOLEZ VERS MOI/ VENEZ ME CHERCHER

Signaux à bras

Lorsque vous utilisez ces signaux, il est préférable d'avoir, à côté de soi, quelqu'un muni de jumelles qui puisse voir, sans se tromper, les signaux transmis par ceux qui sont au loin. Une fois la transmission terminée, ces signaux sont décodés en un message intelligible. Pour émettre, comptez doucement de « mille un » à « mille six » entre chaque position car ces signaux sont beaucoup plus difficiles à recevoir qu'à émettre.

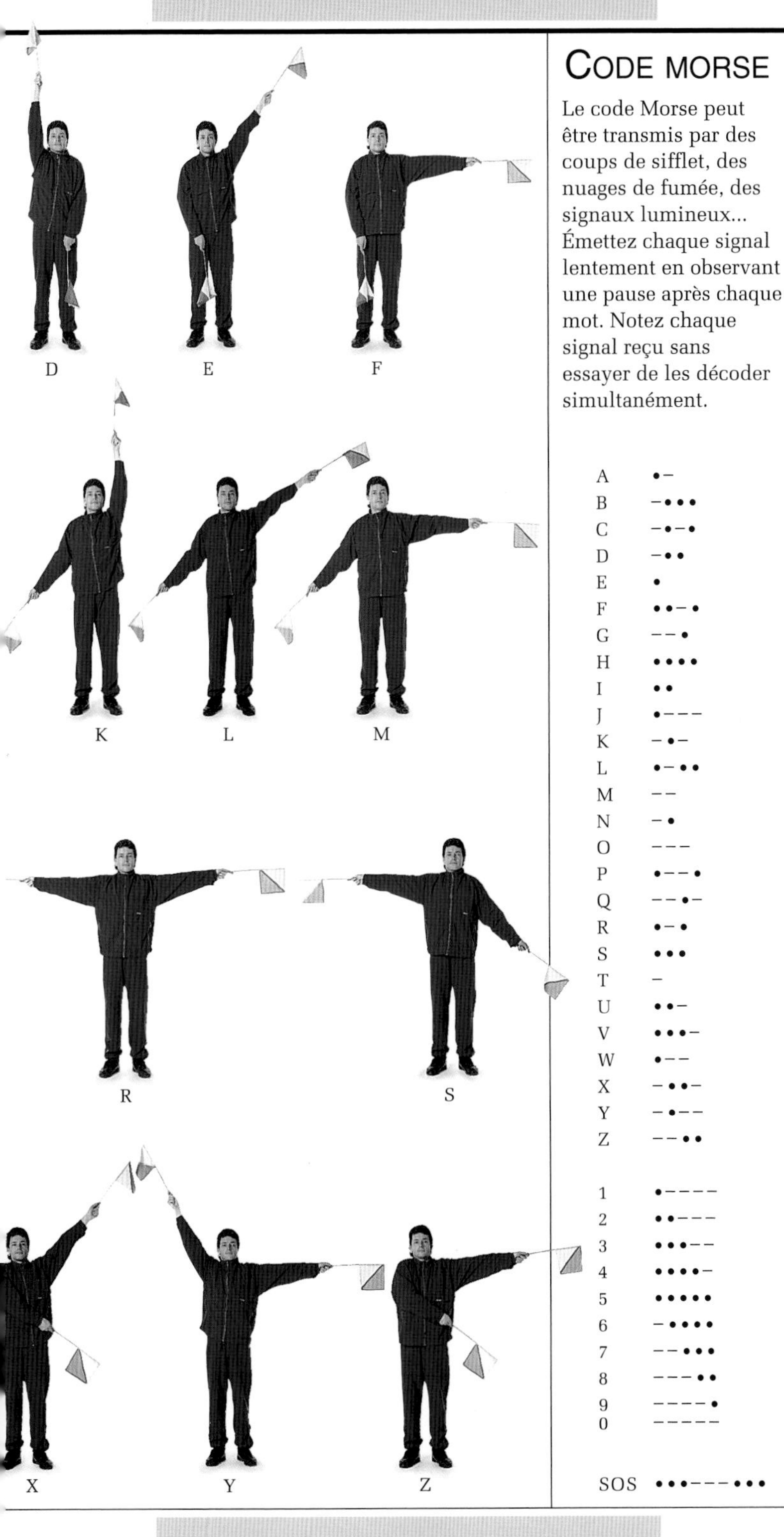

CODE MORSE

Le code Morse peut être transmis par des coups de sifflet, des nuages de fumée, des signaux lumineux... Émettez chaque signal lentement en observant une pause après chaque mot. Notez chaque signal reçu sans essayer de les décoder simultanément.

A	•–
B	–•••
C	–•–•
D	–••
E	•
F	••–•
G	––•
H	••••
I	••
J	•–––
K	–•–
L	•–••
M	––
N	–•
O	–––
P	•––•
Q	––•–
R	•–•
S	•••
T	–
U	••–
V	•••–
W	•––
X	–••–
Y	–•––
Z	––••
1	•––––
2	••–––
3	•••––
4	••••–
5	•••••
6	–••••
7	––•••
8	–––••
9	––––•
0	–––––
SOS	•••–––•••

ANIMAUX DANGEREUX

LA PLUPART DES ANIMAUX ÉVITENT LES HUMAINS mais ils peuvent devenir agressifs s'il se sentent menacés, en particulier lorsqu'ils sont accompagnés de leurs petits. Respectez-les, ne les approchez pas, n'essayez ni de les caresser ni de leur donner à manger. Les singes doivent à tout prix être découragés car ils volent n'importe quoi et leurs morsures sont dangereuses.

Avant de partir, renseignez-vous sur les animaux dangereux que vous risquez de rencontrer et munissez-vous d'antidotes lorsqu'ils existent.

AMÉRIQUE DU NORD

Grizzly
L'odeur de la nourriture risque d'attirer le grizzly dans votre campement.

Les grands prédateurs comme le grizzly, le couguar et le loup gris sont nombreux dans certaines forêts et parcs nationaux du nord. Dans les régions plus chaudes, vous risquez de croiser des créatures plus petites mais venimeuses comme le crotale et l'araignée anachorète.

Alligator
Il est capable de rester immobile durant des heures mais il se jette sur sa proie à une vitesse

AMÉRIQUE DU SUD

Les grandes forêts tropicales d'Amérique du Sud abritent de nombreuses espèces d'insectes et de serpents venimeux. La grenouille arboricole sécrète une substance si toxique qu'une petite dose sur la peau suffit à tuer un homme. Des animaux plus grands, comme le cochon sauvage ou le jaguar sont également dangereux. À la pointe sud du continent, l'éléphant de mer peut devenir très agressif pendant la période du rut.

Piranha
Les piranhas attaquent en bandes et déchiquètent leur proie de leurs dents en lames de rasoirs.

Grenouille arboricole
Sa peau sécrète une substance des plus toxiques.

EUROPE

Les animaux dangereux sont rares en Europe. La vipère est le seul serpent venimeux. Sa morsure, comme la piqûre du frelon, peut provoquer un choc anaphylactique. La morsure de la veuve noire, araignée du bassin méditerranéen, peut être mortelle.

Frelon
La piqûre du frelon peut provoquer un choc allergique.

Veuve noire
Sa morsure provoque des spasmes musculaires douloureux.

AFRIQUE

On trouve en Afrique beaucoup de grands animaux dangereux, depuis les félins jusqu'à l'hippopotame qui peut devenir féroce, en passant par les serpents tels que le mamba noir et la vipère Clotho. Mais la plus grande menace reste le moustique anophèle, porteur de malaria.

Vipère Clotho
Ses longs crochets peuvent traverser les vêtements.

Crapeau buffle
Sa morsure est seulement douloureuse.

ASIE

Cobra
Certains cobras crachent leur venin à distance.

En Asie, les animaux les plus dangereux pour l'homme vivent dans les forêts tropicales du sud-est où n'habitent que quelques rares tribus indigènes. C'est là qu'on trouve le crocodile des estuaires, le Krait, serpent mortel de l'Inde, le cobra, l'araignée à dos rouge, cousine de la veuve noire.

Tigre
Les randonneurs peuvent se trouver nez à nez avec ce redoutable prédateur.

AUSTRALIE

Atrax
Cette araignée à la morsure mortelle est très active la nuit.

Quelques-uns des animaux les plus venimeux et agressifs du monde vivent en Australie, surtout dans les mers environnantes et le désert intérieur. Les scorpions y sont redoutables : une piqûre peut vous tuer en quelques heures. Sur la côte, il faut se méfier du grand requin blanc et du poisson-pierre, très venimeux.

Scorpion du désert
Le dard empoisonné du scorpion jaillit au bout de sa queue recourbée.

Soyez diplomate

Il est toujours préférable de chercher à communiquer avec les autochtones plutôt que de se cantonner dans un rôle de spectateur. Cependant, la méconnaissance de la langue ou des coutumes peut vous plonger dans des situations embarrassantes qu'il est possible d'éviter en respectant certaines règles.

Femmes en voyage

La discrimination sexuelle se manifeste malheureusement la plupart du temps à l'encontre des femmes. Dans les pays où la coutume veut que femmes ne s'exposent pas au regard des hommes, certains individus peuvent se montrer un peu trop curieux à l'égard des étrangères. Il est donc recommandé de porter des vêtements pratiques qui ne se remarquent pas.

TRUCS UTILES

- Habillez-vous sobrement, en harmonie avec les coutumes locales.
- Évitez de regarder les hommes dans les yeux, ce qui pourrait être interprété comme un encouragement.
- Ne vous laissez pas « baratiner » par des inconnus, qu'ils soient du cru ou étrangers.
- Dans une société où la répression sexuelle est évidente, adoptez dans la rue une attitude distante afin qu'on ne vous manque pas de respect.
- Dans certains pays, les hommes n'adressent pas la parole aux femmes et ne reçoivent d'elles aucun ordre. Il faut donc parvenir à gagner leur estime.

Différences culturelles

En voyage, observez toujours la façon dont les hommes et les femmes s'adressent les uns aux autres. Copiez leurs manières, leurs gestes, mais sans excès de façon à ne pas les laisser croire que vous vous moquez d'eux.

Gestes
Faites attention aux gestes car ils n'ont pas la même signification d'un pays à l'autre. Le haussement d'épaules signifiant l'incompréhension est universel mais d'autres gestes d'apparence anodine peuvent se révéler offensants voire obscènes.

Regard
Dans la plupart des pays occidentaux, il est poli de regarder son interlocuteur dans les yeux, même s'il s'agit d'un inconnu. Or, dans certaines régions du monde, le regard direct est interprété comme une attitude agressive ou irrespectueuse.

PHOTOGRAPHIER

Vous pouvez choquer les gens que vous prenez en photo. Demandez toujours la permission de faire un portrait, en sachant à l'avance si vous accepterez de payer ou non au cas où l'on vous demanderait de l'argent. En prenant une photo, sachez vous montrer diplomate.

Éveiller la curiosité
Les photographes suscitent souvent beaucoup d'intérêt. Laissez les gens toucher votre appareil et regarder dans l'objectif, en prenant soin de ne pas lâcher la sangle. Quand tout le monde aura essayé il vous sera plus facile de demander à les photographier.

Provoquer
Certaines photos sont à éviter si vous ne voulez pas avoir d'ennuis. Les femmes, ou leur mari, risquent de s'offusquer, on peut aussi vous soupçonner d'espionnage si vous photographiez des usines, des terrains d'aviation, des ponts ou des bâtiments gouvernementaux. Aussi, pesez bien le pour et le contre avant de passer à l'acte.

AMBASSADES

Les ambassades se trouvent dans les capitales mais il y a souvent des consulats dans les villes de province. Ils ne sont pas là uniquement pour aider les voyageurs en difficulté, ce qui ne vous empêche pas de vous y rendre en cas de besoin. Si votre pays n'est pas représenté dans la région où vous voyagez, vous pouvez toujours vous adresser à l'ambassade d'un pays avec lequel il a des arrangements. Ne vous imaginez pas que l'ambassade peut résoudre tous vos problèmes, cependant elle peut vous prêter de l'argent pour rentrer chez vous ou vous assister en prison.
A l'étranger, vous êtes soumis aux lois de ce pays et devez compter sur les hôpitaux locaux pour vous soigner. Dans le cas d'une urgence médicale, l'ambassade peut se charger de votre rapatriement, même si elle vous demande de lui rembourser les frais - une autre bonne raison de prendre une assurance avant de partir.

Représentant de la nation
L'ambassade est l'emblème de la nation qu'elle représente. Les gens qui y travaillent parlent la langue locale et s'efforcent d'entretenir de bonnes relations avec la population.
Une présentation soignée vous assurera un accueil bienveillant.

PREMIERS SECOURS

VOUS POUVEZ VOUS RETROUVER SOUDAIN CONFRONTÉ À UNE URGENCE médicale, loin de tout secours. Munissez-vous d'une trousse à pharmacie suffisamment fournie pour vous permettre de soigner des blessures mineures. Dans le cas d'un malaise beaucoup plus grave, vous devez absolument connaître les principes de base des premiers secours qui permettront au moins de stabiliser l'état de la victime en attendant l'intervention d'un médecin.
Vous trouverez dans les pages suivantes les gestes à accomplir pour répondre à toute une série de problèmes allant des ampoules aux hémorragies. Ces gestes demandent une certaine habileté qu'on aquiert avec l'expérience. Vous avez donc intérêt à suivre des cours de secouriste avant de partir et à exiger de vos compagnons de route de faire de même.

ABC DE LA RÉANIMATION

Si la victime est inconsciente, vous devez avant tout vérifier si son cœur bat, et si elle respire. Si vous soupçonnez une blessure de la colonne vertébrale ou du cou, ne bougez pas la tête du blessé et immobilisez-la le plus rapidement possible.

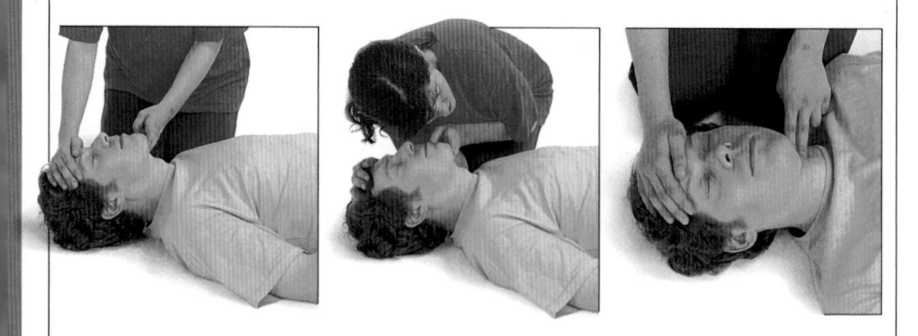

1 Ouvrez la bouche du blessé et vérifiez qu' aucune obstruction n'empêchera l'air de passer. Placez deux doigts sous son menton, la paume de l'autre main sur le front, et inclinez-lui la tête en arrière.

2 Approchez votre joue de sa bouche et de son nez pendant 5 secondes pour détecter son souffle. Observez en même temps les mouvements de sa poitrine qui indiquent que les poumons sont ventilés.

3 Vérifiez sa circulation sanguine en cherchant son pouls sur le côté de la trachée artère pendant 5 secondes. S'il respire et si son pouls bat, placez-le en position latérale de sécurité. S'il ne respire pas, pratiquez immédiatement la respiration artificielle.

Position latérale de sécurité

Tout blessé inconscient doit être placé en position latérale de sécurité. La langue ne doit pas bloquer la gorge et tout liquide doit s'écouler de la bouche sans risquer que le contenu de l'estomac puisse être inhalé.

On arrive à faire rouler le blessé en l'attrapant par le genou.

1 Si le blessé est inconscient mais respire encore, repliez-lui le bras droit à 90° par rapport au corps. Appuyez le dos de sa main gauche contre sa joue droite. Allongez sa jambe droite, ramenez son genou gauche plié à 90° vers vous et faites-le rouler sur le côté.

2 La victime est allongée sur le côté. Inclinez-lui doucement la tête en arrière en lui écartant les mâchoires pour laisser passer l'air.

Inclinez la tête en arrière pour qu'il ne s'étouffe pas en vomissant.

Le bras replié offre un support stable.

La jambe repliée empêche le corps de rouler.

Respiration artificielle

L'air exhalé contient 16% d'oxygène que l'on peut faire passer dans les poumons d'un blessé. Si celui-ci a cessé de respirer, soufflez-lui dans la bouche dix fois par minute jusqu'à ce qu'il recommence à respirer tout seul.

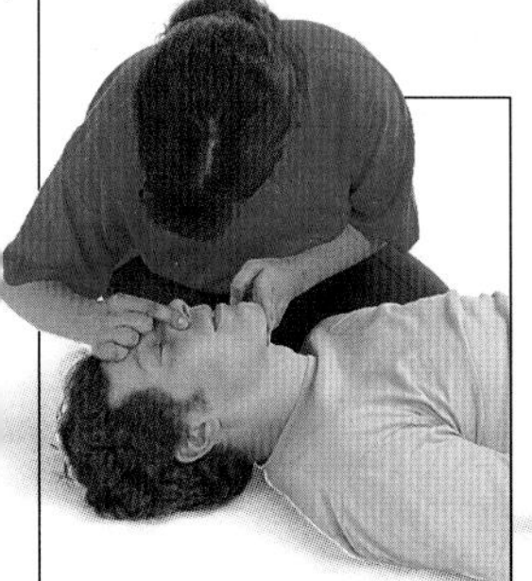

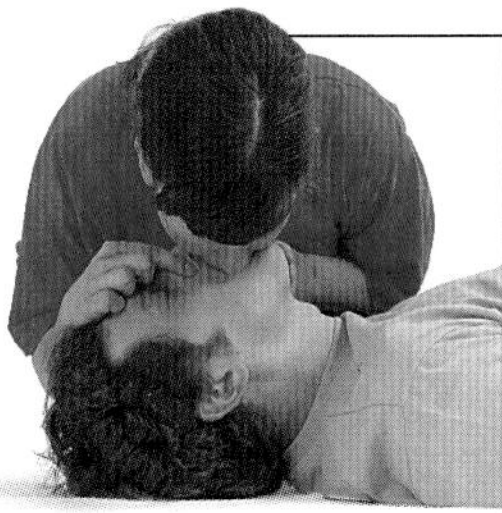

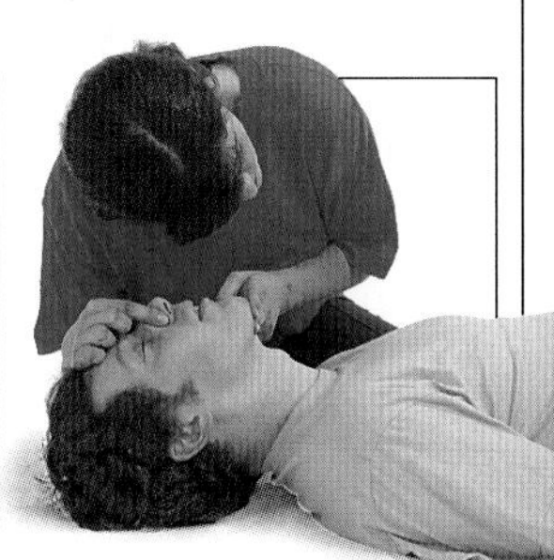

1 Le blessé est allongé sur le dos. Pour vous assurer que l'air pourra passer librement, vérifiez que rien ne vient obstruer sa bouche. Placez une main sur son front en lui pinçant le nez et l'autre sous le menton en lui tirant la tête en arrière.

2 En pinçant toujours les narines du blessé, plaquez votre bouche contre la sienne et soufflez régulièrement pendant deux secondes jusqu'à ce que sa poitrine se soulève. Puis laissez celle-ci se rabaisser complètement.

3 Recommencez dix fois par minute. Continuez ainsi jusqu'à l'arrivée des secours ou jusqu'à ce que le blessé recommence à respirer seul. Vérifiez son pouls. Si le pouls cesse de battre, pratiquez le massage cardiaque.

MASSAGE CARDIAQUE

La réanimation par massage cardiaque entraîne la circulation artificielle du sang et ventile les poumons. Cette méthode consiste à comprimer la poitrine pour maintenir la circulation du sang vers le cerveau et s'effectue en alternance avec la respiration artificielle qui oxygène le sang.

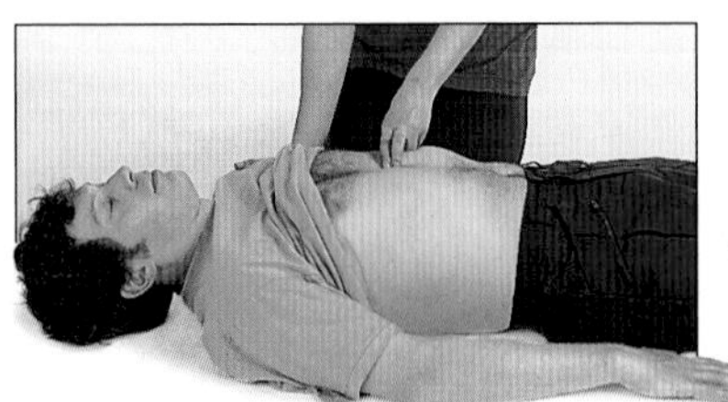

1 Étendez le blessé sur une surface solide. Cherchez la côte la plus basse avec l'index et le majeur et remontez jusqu'à ce que votre majeur se pose à l'intersection du sternum.

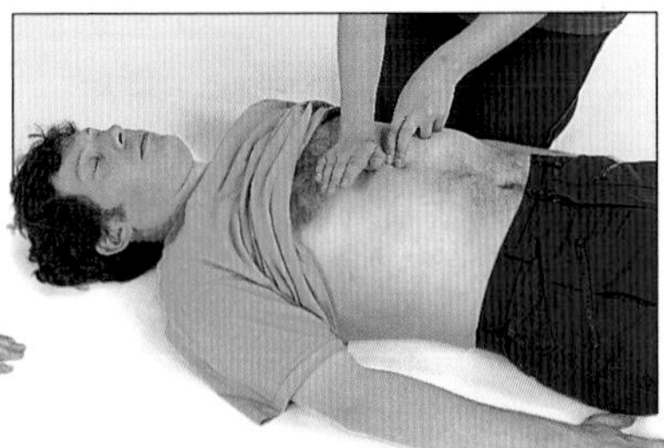

2 Glissez la saillie de la paume de l'autre main sur le sternum, contre votre index. C'est à cet endroit que vous devrez appuyer.

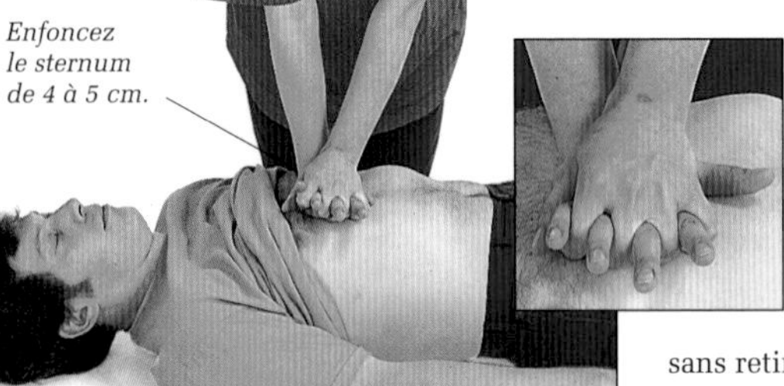

Enfoncez le sternum de 4 à 5 cm.

3 Placez une main sur l'autre en croisant les doigts. Penchez-vous, bras tendus, sur le blessé et appuyez de toutes vos forces, puis relâchez sans retirer les mains. Répétez ce geste quinze fois puis pratiquez deux respirations artificielles.

CHOC

L'état de choc est causé par un dangereux ralentissement de la circulation sanguine dans le corps pouvant entraîner une insuffisance en oxygène et en substances nutritives dans les tissus de l'organisme. Sans une intervention rapide, l'état de choc peut mener à la mort.

Les jambes surélevées aident le sang à circuler.

Prenez le pouls sur l'artère radiale, à la base du pouce.

1 Surélevez les pieds du blessé par rapport à sa tête afin de l'aider à rester conscient. Desserrez ses vêtements, rassurez-le et prenez son pouls.

2 Étendez-le sur un manteau ou un sac de couchage et recouvrez-le afin de le réchauffer. Vérifiez sa respiration et son pouls, surtout s'il perd conscience. Préparez-vous à le réanimer en cas d'arrêt cardiaque.

BRÛLURES

Lors des randonnées, les brûlures les plus fréquentes sont celles qui sont provoquées par des réchauds, des feux ou de l'eau bouillante. Une intervention rapide permet d'en limiter les conséquences : douleur, infection, cicatrice, rougeur. N'essayez surtout pas d'enlever une quelconque impureté collée à la brûlure.

1 Versez de l'eau sur la brûlure ou faites tremper la partie brûlée dans de l'eau froide pendant dix minutes pour stopper la brûlure et atténuer la douleur.

2 Toute brûlure pouvant s'infecter, protégez la région blessée avec un tissu propre, au besoin un sac propre en polyéthylène si vous n'avez rien d'autre.

Appliquez un pansement non adhésif qui dépasse largement la zone brûlée.

Le pansement est une protection contre l'infection.

3 Dès que possible, enveloppez la blessure d'une bande de gaze propre sans serrer trop fort. N'utilisez pas de pansement adhésif et n'appliquez ni pommade, crème ou lotion, ni matière grasse. Si des ampoules se sont formées, ne les touchez pas car elles protègent la peau des infections.

COUP DE SOLEIL

Une exposition trop prolongée au soleil provoque rougissement de la peau, démangeaison, sensibilité, cloques. On peut facilement attraper des coups de soleil en altitude même lorsque le temps est couvert. Sur l'eau et sur la neige, le réfléchissement des rayons du soleil augmente les risques.

1 La première chose à faire est de mettre la victime du coup de soleil à l'ombre, dans un endroit frais et abrité, puis de rafraîchir la partie brûlée en y appliquant un tissu imbibé d'eau froide.

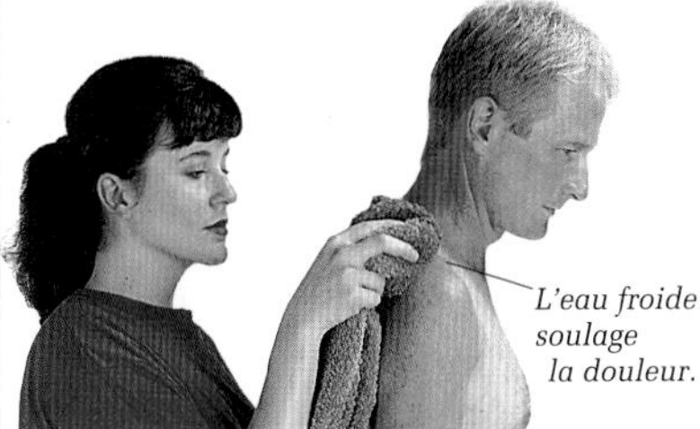

L'eau froide soulage la douleur.

2 Faites-lui boire beaucoup d'eau tout en continuant à rafraîchir la peau. Une crème apaisante suffira à calmer le feu d'une brûlure bénigne.

DÉSHYDRATATION

La déshydratation peut entraîner des malaises tels que maux de tête, nausées, vertiges, crampes, accélération du pouls et essoufflement, dûs à une déperdition de sel et d'eau provoqués par une transpiration excessive. C'est assez fréquent chez les personnes qui ne sont pas habituées à fournir un effort physique intense sous un climat chaud et humide.

Aidez la victime à boire la solution salée.

1 Emmenez la personne déshydratée dans un endroit frais. Faites-lui boire une solution d'eau salée (une cuiller à dessert de sel pour un litre d'eau) pour l'aider à compenser la perte en eau et en sel. Si elle perd connaissance, placez-la en position latérale de sécurité.

2 Une fois qu'elle a absorbé une grande quantité d'eau salée, laissez-la se reposer. Surélevez ses jambes afin de stimuler la circulation du sang vers le cerveau et recommandez-lui de continuer à boire.

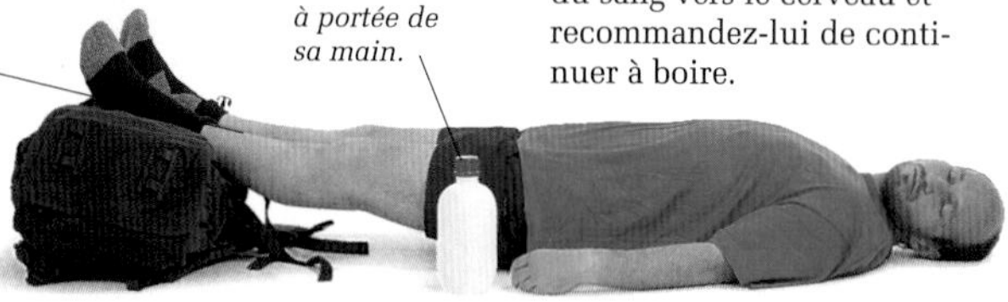

Laissez la solution à portée de sa main.

Surélevez les jambes pour améliorer la circulation sanguine dans l'organisme.

COUP DE CHALEUR

Sous l'effet d'une chaleur extrême, le «thermostat» du cerveau peut se dérégler, faire monter la température du corps à plus de 40° et provoquer brusquement maux de tête, vertiges, congestion de la peau, rougeurs, accélération du pouls et perte de conscience.

Éventez la victime afin de lui rafraîchir la tête.

Couvrez- la d'un drap ou d'un vêtement mouillé pour faire baisser la température du corps.

1 La première chose à faire est d'abaisser la température du corps de la victime aussi rapidement que possible. Transportez-la dans un endroit frais et ombragé, retirez-lui ses vêtements et allongez-la. Ensuite, couvrez-la d'un drap ou d'un vêtement mouillé. Si elle ne reprend pas conscience, procédez à une réanimation.

2 Dès que sa température est redescendue à la normale ou presque (à partir de 38°), retirez le drap mouillé, séchez-la afin qu'elle ne prenne pas froid et continuez à lui éventer le visage. Remettez le drap mouillé en place si sa température recommence à monter.

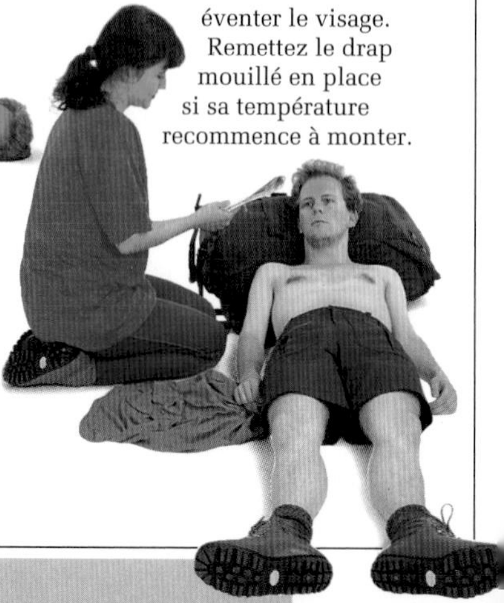

HYPOTHERMIE

L'hypothermie est une chute importante de la température du corps, en-dessous de 35°. Le traitement consiste à faire remonter la température le plus rapidement possible. Transportez la victime à l'abri, couvrez-la du maximum de vêtements secs et chauds et aidez-la à se glisser dans son sac de couchage. S'il n'y a aucun abri en vue, contentez-vous de remplacer ses vêtements humides par des vêtements secs et, dans la mesure du possible, faites-lui absorber lentement une boisson chaude.

Aidez la victime à se glisser dans son sac de couchage.

Aidez-la à changer de vêtements.

ENGELURE

Dans des conditions de froid intense, il arrive que les tissus des extrêmités du corps gèlent. Les engelures bénignes guérissent très bien alors que les plus graves peuvent entraîner une lésion irrémédiable.

1 Une main ou un pied gelé commence par picoter puis pâlit, s'engourdit avant de devenir dur et raide. Emmenez la victime d'une engelure dans un endroit chaud où la partie affectée pourra être dégelée. Enlevez tout doucement gants, chaussettes et chaussures et évaluez l'étendue de la lésion.

La partie gelée est blanche et insensible.

ATTENTION

- Une engelure s'accompagne souvent d'hypothermie qui doit être soignée en premier.
- Évitez, dans la mesure du possible, de marcher avec un pied gelé ou de bouger une main gelée.
- Ne frottez pas une engelure et n'y appliquez aucun objet chaud qui pourrait brûler la peau insensible.

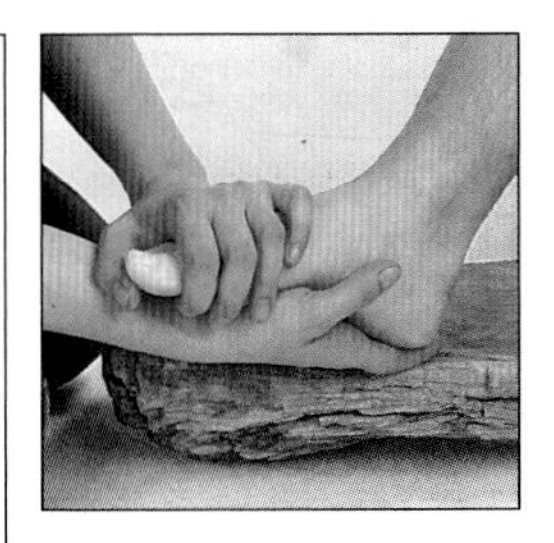

2 Réchauffez la partie gelée entre vos mains, vos genoux ou dans le creux de l'aisselle, mais n'appliquez d'objet chaud.

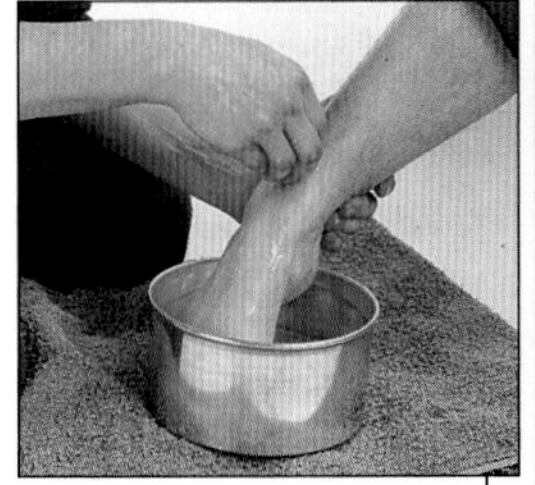

3 Si la peau ne reprend pas de couleur, plongez la main ou le pied gelé dans de l'eau tiède. Séchez doucement et enveloppez d'un bandage léger sans le serrer.

HÉMORRAGIES EXTERNES

Ne vous laissez pas impressionner par le spectacle effrayant d'une blessure qui saigne beaucoup au point d'en oublier les règles de base de la réanimation. On peut arrêter une hémorragie en exerçant une pression directe ou indirecte et en élevant la partie blessée. Préoccupez-vous de contrôler l'écoulement du sang et de minimiser les risques d'infection. N'oubliez pas que le blessé peut être en état de choc.

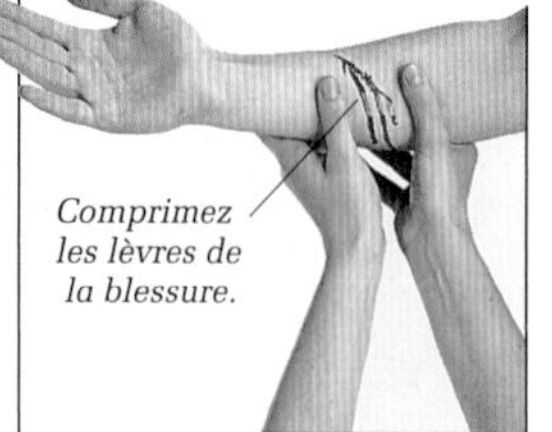

Comprimez les lèvres de la blessure.

1 Comprimez les lèvres de la blessure. S'il y a, dans la blessure, un corps étranger que vous ne pouvez pas retirer, pressez la peau doucement en essayant de le faire remonter.

Les hémorragies internes sont très graves. Le sang n'est pas évacué du corps mais circule plus et provoque, un état de choc. En outre l'accumulation du sang peut exercer une pression excessive sur des organes comme le cerveau ou les poumons. Surveillez le blessé sans relâche.

2 Allongez le blessé confortablement sur le sol. Vérifiez s'il y a fracture puis levez le membre qui saigne et pressez une compresse de gaze sur la blessure jusqu'à ce que le sang cesse de couler.

Pressez la blessure au moins pendant 10 minutes.

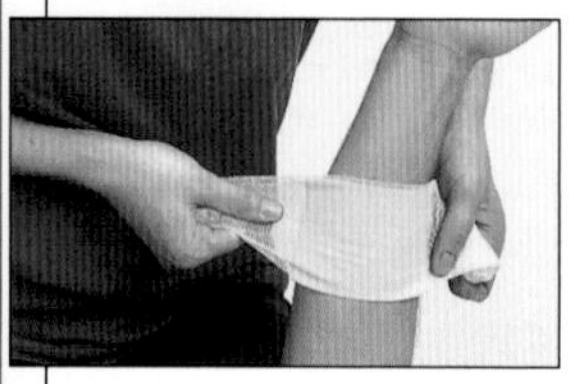

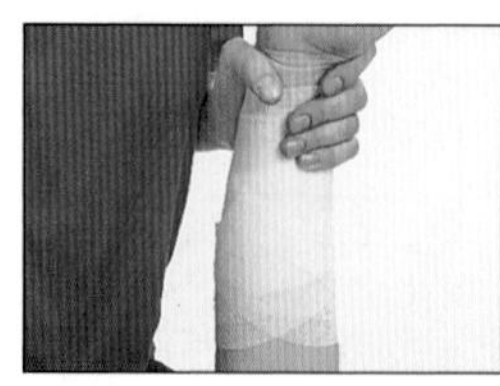

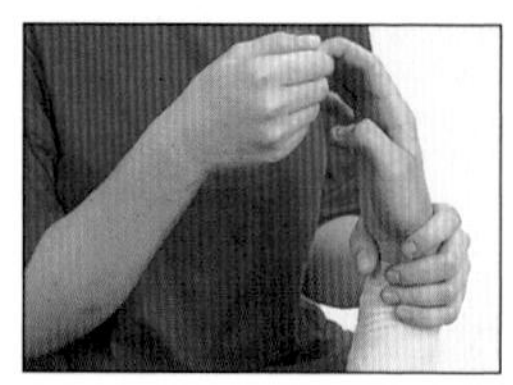

3 Appliquez un pansement stérile (ou un linge propre) sur la blessure. Gardez le membre blessé levé pendant que vous le bandez. Si vous n'avez ni pansement ni linge propre, continuez à comprimer la blessure jusqu'à ce que le saignement s'arrête, puis recouvrez la blessure.

4 Faites un bandage serré autour de la blessure sans empêcher toutefois le sang de circuler.
Si le bandage est imbibé de sang, faites-en un autre par-dessus. En cas de corps étranger fiché dans la blessure, entourez ce dernier de compresses afin que le bandage ne l'enfonce davantage.

5 Vérifiez que le sang circule bien en appuyant doucement sur un ongle du pied, ou de la main, jusqu'à ce qu'il pâlisse.
Si sa couleur initiale ne revient pas rapidement lorsque vous relâchez la pression, refaites le bandage en le serrant moins.

Entorse de la cheville

A la différence de la fracture, l'entorse de la cheville, blessure plus ou moins grave des ligaments, peut être soignée rapidement. Le mouvement ainsi que le poids du corps sur le membre blessé, qui enfle généralement beaucoup, provoquent rapidement une douleur vive.

1 Les premiers gestes à observer en cas de lésion des ligaments et des muscles, ou d'hématomes, sont les mêmes : d'abord immobiliser le membre blessé puis lui appliquer de la glace ou une compresse froide et enfin le surélever.

Soutenir doucement le membre blessé soulage la douleur.

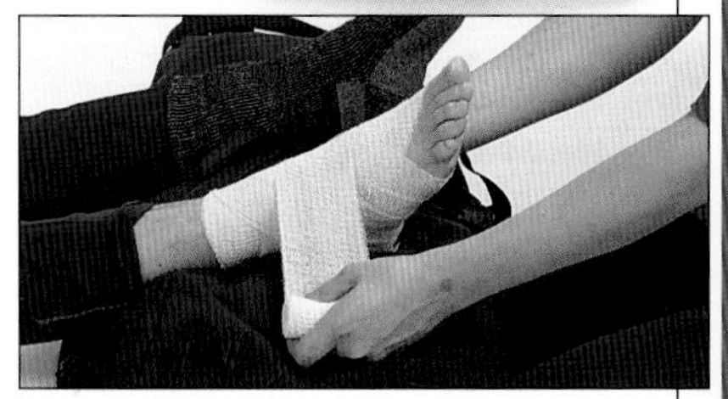

2 Si vous avez de la glace, enveloppez la cheville dans un linge et appliquez-la sur le membre blessé. Si vous n'en avez pas, appliquez un linge trempé au préalable dans de l'eau froide.

3 Bandez la cheville pour comprimer l'enflure et installez le pied en hauteur sur un support solide. Vérifiez la circulation du sang toutes les dix minutes.

Ampoules

Ne touchez pas aux ampoules. Si vous les crevez, elles risquent de s'infecter. Il suffit de les nettoyer et de les protéger d'un pansement pour éviter que le frottement des chaussures ne les aggrave.

1 Nettoyez soigneusement les alentours de l'ampoule avec de l'eau stérilisée afin de réduire les risques d'infection si elle se perce après avoir été pansée.

2 Séchez délicatement la peau en prenant soin de ne pas crever l'ampoule (si cela se produit, laissez la peau en place). Couvrez-la d'un pansement propre et assez grand pour la protéger de tout contact avec la chaussure.

Utilisez un sparadrap très adhésif qui ne risque pas d'être arraché par le frottement de la chaussure.

Corps étrangers dans l'œil

Tout corps flottant sur le blanc de l'œil se retire facilement. N'essayez jamais d'enlever quelque chose qui adhère à l'œil, pénètre dans le globe occulaire ou se pose sur l'iris. Vous risquez d'aggraver la blessure.

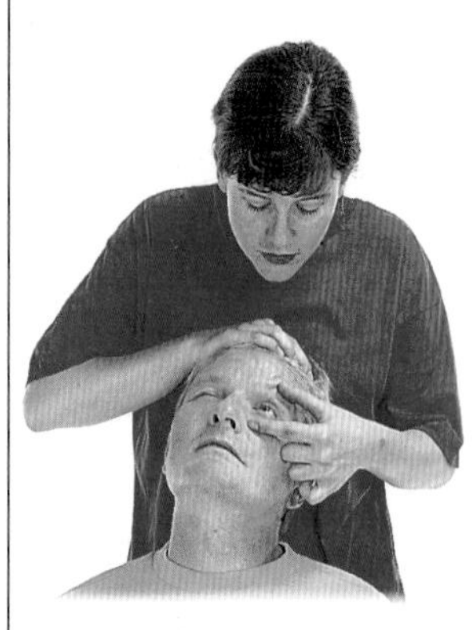

1 Ne frottez pas l'œil. Faites asseoir la personne concernée face à la lumière et écartez doucement les paupières avec le pouce et l'index. Examinez l'œil.

Mettez de l'eau dans l'œil.

2 Si vous voyez le corps étranger, essayez de le chasser en versant de l'eau propre dessus. Si cela est inefficace, essayez de le soulever à l'aide d'un tissu ou d'un mouchoir en papier propre dont vous aurez humecté le coin. Évitez d'appuyer dessus ou de le déplacer sur la surface de l'œil.

Blessure aux yeux

L'oeil peut être coupé ou abîmé par un coup ou un fragment de verre ou de pierre. Il s'agit là d'une blessure très douloureuse, visible ou dissimulée par un épanchement de sang ; un œil aplati est probablement crevé. La vision est altérée. La douleur est très importante.

Immobilisez la tête du blessé.

Bandez les yeux pour immobiliser l'œil blessé.

1 Allongez le blessé sur le dos en lui immobilisant la tête. Demandez-lui de ne pas bouger les yeux afin de ne pas aggraver sa blessure. Appliquez, sans appuyer, une compresse de gaze sur l'œil blessé pour le protéger.

2 Bandez les yeux pour maintenir la compresse en place et éviter que le blessé ne bouge les yeux. Parlez-lui pour le rassurer car ce type de blessure est très traumatisant.

ATTENTION

Les blessures aux yeux risquent d'être très graves. Même les écorchures superficielles de la cornée peuvent provoquer une infection capable d'altérer la vision. Une blessure profonde peut crever le globe occulaire et le vider de sa substance (le cristallin). Néanmoins, ce type de blessure se guérit très bien aujourd'hui et n'entraîne plus la perte de l'œil.

Objet dans l'oreille

Un objet, ou un insecte qui bloque le canal de l'oreille, entraîne une surdité momentanée. De l'huile chaude immobilisera l'animal et l'empêchera de bourdonner, ce qui est extrêmement désagréable. Mais le moyen le plus sûr d'ôter un corps étranger de l'oreille est de le submerger d'eau tiède afin qu'il puisse en sortir facilement. Ne cherchez pas à l'attraper, vous risqueriez de l'enfoncer davantage.

Saignement de nez

La haute altitude peut provoquer des saignements de nez chez certains. Faites asseoir la personne, tête penchée en avant afin d'empêcher le sang de couler dans la gorge, et demandez-lui de se pincer l'arête du nez pendant 10 minutes pour comprimer le vaisseau responsable, puis de recommencer par cycles de 10 minutes jusqu'à ce que le sang cesse de couler.

Crampe

La crampe est une contraction soudaine et involontaire des muscles. Elle est parfois provoquée par un effort intense produit par exemple en marchant ou en nageant, ou par la perte de sel et d'eau à la suite d'une transpiration excessive. Pour soulager une crampe à l'arrière de la cuisse, bloquez le genou en levant la jambe par le pied. Pour une crampe sur le devant de la cuisse, pliez le genou. Dans tous les cas, massez fermement le muscle jusqu'à ce qu'il soit relâché.

Étirez les orteils vers le haut pour soulager une crampe de la cuisse.

Raidir le genou soulage une crampe à l'arrière de la cuisse.

Diarrhée et vomissements

La diarrhée et les vomissements peuvent entraîner une sérieuse déshydratation. Afin de l'éviter, maintenez le taux de sel, de sucre et d'eau de votre organisme en absorbant une solution réhydratante avec une cuillère à dessert d'eau et une cuillère à soupe de sucre pour un litre d'eau stérilisée.

Morsures d'animaux

Une morsure d'animal peut provoquer des infections graves ; il est prudent, de vous faire vacciner contre le tétanos. Certains animaux atteints du virus de la rage ont la bave aux lèvres et un comportement bizarre tandis que d'autres paraissent normaux. Ne traitez donc aucune morsure à la légère.

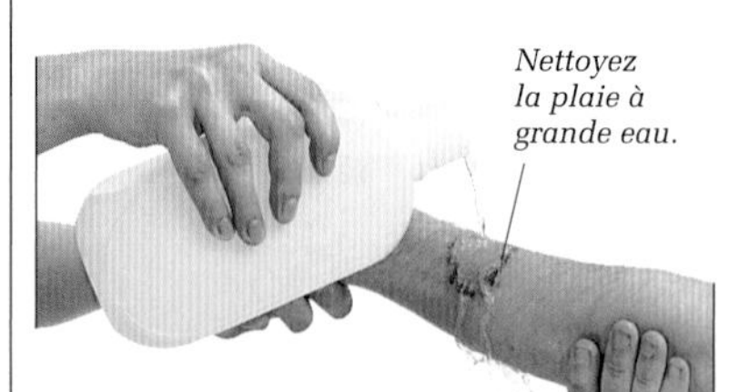

Nettoyez la plaie à grande eau.

1 En transperçant la peau, les dents d'un animal peuvent laisser des bactéries dans les tissus sous-jacents. Nettoyez la plaie à grande eau pendant 5 minutes aussitôt que possible après la morsure pour limiter les risques d'infection.

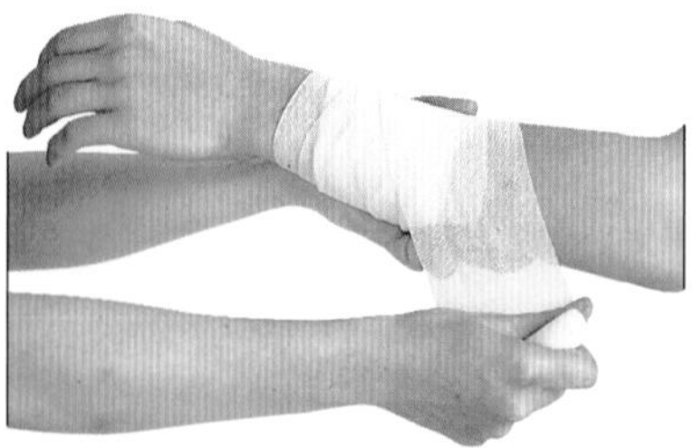

2 Si la morsure est profonde et saigne, appliquez une compresse dessus pour l'arrêter. Maintenez le membre blessé surélevé par rapport au cœur et entourez-le d'un bandage.

Morsures de serpents

La morsure d'un serpent venimeux peut être très douloureuse, devenir rouge, enfler et entraîner nausées, vomissements, troubles de la vue, salivation ou sudation, perturbation ou arrêt de la respiration. Nettoyez très soigneusement toute morsure pour limiter les risques d'infection.

1 Allongez le blessé en lui parlant pour le calmer car une morsure de serpent est toujours effrayante. La panique ne fait qu'accélérer le rythme cardiaque et la propagation du venin dans l'organisme. Lavez la blessure à l'eau et au savon si le venin n'est pas trop violent. Si vous pensez qu'il peut être mortel, comprimez immédiatement la blessure sans la nettoyer.

Parlez au blessé pour éviter toute panique.

2 Faites un bandage serré de part et d'autre de la morsure. N'incisez pas la blessure, n'essayez pas de sucer le venin. Laissez le blessé allongé et immobile sans surélever le membre qui a été mordu.

Piqûres d'insectes

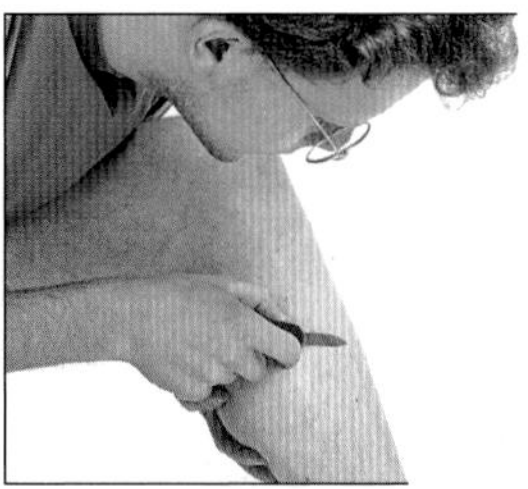

Le dard des abeilles, guêpes et frelons provoque une douleur aigue à l'endroit de la piqûre qui enfle généralement. Enlevez délicatement l'aiguillon laissé dans la peau à l'aide d'une pince à épiler ou d'une lame de couteau. Lavez la peau à l'eau et au savon. Les randonneurs allergiques doivent se munir des médicaments nécessaires et en informer leurs compagnons de route.

Maladies dangereuses

En voyageant, le randonneur s'expose à un certain nombre de maladies causées par des bactéries ou des virus, et véhiculées de façons très diverses, mais dont on peut déjà se protéger par les vaccins et une alimentation stricte.

MALADIES DANGEREUSES

Maladies	Géographie	Mode de transmission	Symptômes
VIH/SIDA	Monde entier, surtout en Afrique	Par le sang et le sperme	Aucun pendant des mois
Choléra	Afrique, Asie	Insalubrité, manque d'hygiène	Nausées, diarrhée, vomissements, crampes, déshydratation, état de choc
Hépatite infectieuse (Hépatite A)	Monde entier	Fèces des personnes infectées	Frissons, fièvre, perte d'appétit, fatigue, urine sombre et fèces pâles, gonflement du foie et de la rate
Poliomyélite	Climats chauds	Eau infectée par le virus	Frissons, maux de gorge, perte d'appétit, et plus tard paralysie
Fièvre typhoïde	Mexique, Extrême-Orient, Afrique	Eau contaminée par la Salmonella	Maux de tête, douleurs abdominales, fièvre
Fièvre jaune	Afrique de l'Ouest, Amérique du Sud	Morsure de moustique	Maux de tête, fièvre, douleurs dans les membres, vomissement de sang, constipation
Malaria	Extrême-Orient, Afrique, Amérique du Sud	Morsure de moustique	Fièvre, frissons, tremblements, maux de tête
Peste	Presque partout dans le monde	Morsure de puce contaminée par des rongeurs infectés	Fièvre, gonflement des ganglions lymphatiques
Rage	Presque partout dans le monde	Par la salive des animaux infectés	Fièvre, perte d'appétit, fébrilité, soif avec impossibilité de boire, frayeur
Tétanos	Monde entier	Spores bactériennes pénétrant dans la blessure	Fièvre, spasmes musculaires, frayeur, paralysie du visage, asphyxie

INDEX

CRÉDITS PHOTOGRAPHIQUES

Illustrations

CODE :

h : haut,
b : bas,
c : centre,
d : droite,
g : gauche,
a : au-dessus,
b : en-dessous
(deuxième entrée)

L'ensemble des illustrations a été réalisé par Coral Mula excepté les petites illustrations en haut à gauche de chaque chapitre qui sont de Claude Bishop. Les cartes 12-13c, 17h, 22c, 24c, 88cd, bda, bd, 90b, 100b, 101, 136cg, 142c sont de Dorling Kindersley Cartography (James Mills-Hicks et John Plumer). Cressida Joyce a réalisé les illustrations 10, 11, 80, 88h, 97hg, hd, 111b. Doug Miller 32, 33h, 87h, c. John Woodcock 107hg, 132c, b, 135cdb, bd.

Photographies

L'ensemble des photographies a été réalisé par Andy Crawford, Steve Gorton et Tim Ridley excepté :
Ace Photo Agency 12bg, 15cg. Brathay Exploration Group 23hd. J. Allan Cash Photo Library 88hg, hd, cd, 104–105. Bruce Coleman 6hg, 13cd, 14hg, 15ca, hg, 67bd, cb, 121hc, ca, cga, 127hd, 134bg, bc. Steven J. Cooling 144cg. Cotswold 36cg, 37hg. Peter Crump 68bg. James Davis Travel Photography 7hd. Europa Sport 36cd, 37cg. Ffotograff 25cd. Robert Harding 13hc, 14bg, 30–31, 43hd. Hutchison Library 6bg, 14cg, 28hd, 99bd, 145hg, bd. Image Bank 2, 8–9, 12cg, 64–65, 84bd, hd, 99bda, 124–125. Frank Lane Picture Agency Lhd. 12cga, 67hg, 121cda, hd, 127hg, bd. Magnum Photos Ltd. 15bg. Hugh McManners 23bga, 25hg, 28cg, bg, bd, 29bg, 85hd, hg, 103hg, cg, cd, cgb, bg, 109hd, 144bc. Nicholas Mellor 25bd. Mountain Camera 4cg, 12bd, 13hd, bd, bg, 14cd, 21bd, 24bg, 27bd, cd, 71hg, hd, cg, 138bg. NHPA 17bd, 67cga, 121c, cd, 121hg, cg. Oxford Scientific Films 67bg, bc, cdb, cda, cgb. Raleigh International 6cd, 13bc, 100cg. Royal Geographical Society 7bd, 29c. South American Pictures 23bda. Stockfile 13hg. Tony Stone Images 15cd, 66bd, 88cg, 127bg. Travel Ink Photo & Feature Library 23cg, bg, 138cg. Vango (Scotland) Ltd. 47hd, hg, cg, cd. Wild Country/Steve Bell (Himalayan Kingdoms)/ Terra Nova Equipment Collection 47bd. Wilderness Photographic Library 25hd. Zefa 12cgb, 15hd, 145cg.